迷いのない人生なんて
―名もなき人の歩んだ道

共同通信社 編

岩波ジュニア新書 985

はじめに

子どものころから、教科書に出てくるような偉人伝が苦手でした。

強い意志を持って苦難を乗り越え、成功を遂げた人たちのストーリーのことです。立派なのは分かるのですが、生き方の模範にするには距離がありすぎて、具体的なイメージが湧いてきませんでした。その時に気付きました。私が知りたいのは「くじけない心」を持った強い人よりも、弱さを抱え、迷いながら生きている人なのだろうと。

世の中の多くの人は、回り道をしながら生きています。道をはずれてしまうこともあります。ところが、学校で教えられる物語はどこか、正しさを身にまとっており、「普通の人はこんな風には生きられないよ」という素朴な疑問を受け入れてくれない気がしたのです。

人はサクセスストーリーに惹かれます。何かを成し遂げなければ教科書には載りませんし、名もなき人の生き様を子どもに伝える大人はあまりいません。新聞もよく似ています。困難を克服した人の話は、いつの時代も紙面を彩るコンテンツとして重宝されてきました。

ただ、心に引っかかりもありました。成功した今にフォーカスするあまり、そこに至る葛藤（かっとう）や後悔、自己嫌悪といったネガティブな感情は脇役になってしまい、場合によっては省かれてしまいます。新聞紙面には限りがあるので、結論に焦点を当てるのはやむを得ない面もあります。しかし、その人が何を大切にして生きてきたかを知るには、「輝かしい現在」を通してよりも、うまくいかなかった過去の姿を丹念に追いかけた方が、本質に近づけるのではないかと考えました。普段の記事からはこぼれ落ちてしまう感情や言葉を丁寧に表現できないだろうか。それが、市井の人たちの物語を書こうと思った出発点です。

人はいつも前を向いて生きられるわけではありません。大きなけがや病気、親しい人との別れ、会社の倒産、自らが招いた失敗……。そこかしこで迷い道が口を開けて待っています。若いみなさんはまだ人生経験が限られているので、想像するのは難しいかもしれませんが、人生はなかなか思い通りには進みません。では、そのままならない人生と人はどうやって折り合いをつけるのでしょうか。一番つらかった時、誰が伴走者になってくれたのでしょうか。

著名な人物の成功物語ではなく、私たちの身近にいるごく普通の人たちの心の揺らぎに目を凝らしてみたのが本書です。タイトルの「迷いのない人生なんて」には、迷いを抱えながら生きる人への共感とエールを込めました。

人は弱いけれど、強くもあります。「普通」とされるコースからそれるのは誰だって不安ですが、たとえ思い描いた航路から外れても、ちゃんと生きていくことはできます。「遠回りをしたかもしれないけど、私の人生は豊かです」。登場する人物から、そんな心の声を聞き取ってもらえたなら、これ以上の喜びはありません。

本書は「迷い道」というタイトルで、共同通信社が配信した1年間の新聞連載をまとめたものです。それぞれの記事には、「今の私」から、迷い道の真ん中で苦しんでいた「当時の私」に向けたメッセージも添えました。連載のプロローグとして出稿した作家のあさのあつこさんのお話は、この企画の意図するところを驚くほど的確に言い表してくれています。

子どもにとっても、大人にとっても、安心して失敗ができ、遠回りをしても大丈夫だと思える世の中であってほしい。そう願いを込めて、はじめにに代えたいと思います。

共同通信社編集委員　名古谷隆彦

●あさのあつこさんに聞く

回り道だらけの半生

あっちこちくねくね、穴に落っこちたり、迷ったりしてきた人生です。ずっと物書きになりたかったけど、デビューは37歳になってから。物を書くってものすごいエネルギーがいるんですよ。結婚して3人の子どもを育ててるうちに「子育てしてるんだから書けなくて当たり前」と自分に言い訳をして逃げてきました。

◇存在証明

大学卒業後は、地元岡山で小学校の臨時教員になりました。でも中途半端な気持ちで務まる仕事ではないと思い、2年で辞めました。すぐに結婚し、子どもが生まれ、子育てが始まりました。一番下の子が保育園に入って少し時間ができたころ、「やはり物を書きたい」という気持ちが最後に残って同人誌に投稿を始めました。ずいぶん遠回りをしましたが「ここに細いけど道がある」と信じることができた。志を立ててから既に20年以上がたっていました。

幼いころは感受性の強い子どもでした。大人に「おまえのことは分かっている」と言われるのがたまらなく嫌でした。「未熟な子どもを成熟した大人が導いてやるんだ」というにおいがするんです。「分かる」というのは、裏を返せば支配できるということです。私にとってはあらがい続けることが存在証明でした。

「そんなに頑張らなくてもいい。女なんだから」という言葉も嫌というほど浴びせられました。一見優しいふりをして、誰もが持っているはずの可能性を否定する大人たちに失望していました。

友人関係でも、鮮やかな青春時代とは縁遠かったかな。ある時、友達に「一緒に忘れ物を取りに行ってくれない」とお願いしたら「なんであんたなんかと」と拒否されたことがありました。その子が忘れ物をした時は、私がついて行ったんですけどね。「自分は他人にとってたいして価値のない存在なんだ」と強く感じたのを覚えています。

だから青春時代はモノクロームみたいな思い出です。屈辱や挫折、悩みも含めて灰色の風景を書き留めたいという気持ちが今につながっています。

充足した10代を送っていたら、物書きになろうとは思わなかったでしょう。負の感情のごまかし方を覚えるのが大人になることだとしたら、私は清算できずにここまで来てしまった感じです。

◇まとわりつく

今の若い人たちは、最短の時間と最小の労力で最善の結果を出すことを良しとされています。だから急に「回り道をしてもいい」とか「惑うことにも意味がある」と言われても、ピンとこないと思います。経済的、時間的な無駄をできるだけ省くのは、ある意味で必要なことでもあります。

ただ、人間は効率だけで生きているわけではありません。コスパという物差しを取り払った時、そこに何が残るのかも考えてみてください。最短とは自分が望んだものですか。それとも社会のシステムや誰かが設定したものでしょうか。

まっすぐに走っていれば、余計な物はくっついてはきません。反対に非効率な生き方には、いろんな物がまとわりついてきます。体は重くなるけれど、その過程で自分を守るすべや戦うすべとなる知恵や知識が手に入るかもしれない。それは最短距離を突き進む際にも武器になるものです。

効率を否定するつもりはありません。私は最短の道を行ったことはありませんが、きっと経験した人にしか見えない風景もあるでしょう。

「回り道は人生を豊かにする」という教訓めいた考え方だって、誰かの受け売りだとしたらさしたる意味がありません。

なので、どちらの話にも耳を傾けてみたいのです。一つの価値観に決めつけず、自分の頭でぐちゃぐちゃと考え続けたい。相手を認め理解しようとする姿勢が、豊かさにもつながると思います。

ドイツの作家ミヒャエル・エンデに『モモ』という作品があります。人々が時間泥棒に時間を盗まれるお話ですが、時代が進んだ今は『モモ』の先にある物語が求められているのかもしれません。

時間を奪われた人たちは豊かに生きられない、というストーリーは読者の心をつかみました。しかし、これからは奪われた状況下でどういう新しい生き方を見つけられるのかも考えていく必要があるのかなと思います。

◇未完のまま

世の中で語られる人物というのは、主に大人たちが「成功した」と認定した人たちです。立身出世と大声で言う人は少なくなりましたが、実態はあまり変わりません。努力して立派になった人物の話を聞けば、子どもたちは多少は感動するでしょうが、そういう人ばかりでは退屈します。分かりやすいモデルを示されるより「社会にはこんなに多様な人がいて、たくさんの生き方がある」と伝えてもらった方が、はるかに意義があるのではないでしょうか。「失敗した」と社会から烙印(らくいん)を押された人の中にも、琴線に触れる人生はたくさんあるはずです。

小説『バッテリー』に、主人公のピッチャー原田巧(はらだたくみ)の心情を親友のキャッチャー永倉豪(ながくらごう)が推し量る場面が出てきます。「迷わないわけじゃない。悩まないわけじゃない。揺れないわけじゃない。迷いも悩みも揺れも惑いも、いずれは自分の力に変えていける」

独白のように読めますが、彼らは大人に「本当に悩んでもいいのか。迷っても大丈夫なのか。自分たちの道を信じていいのか」と問うてきます。

私は原田巧という人間が知りたかった。どういう少年で、どんな生き方をしたいのか。ずっと後ろ姿を追いかけたのに、とうとう最後は見えなくなってしまいました。

最終巻を書き上げた時、わき上がってきたのは達成感よりも挫折感でした。きちんとゴールしたかったけど、私の中では未完のままです。「あんたに俺は捕まえられないよ」。巧にそう言われた気がしています。

目　次

2 見つめる、伝える

3 踏み出す、歩む …… 139

1 向き合う、問い続ける

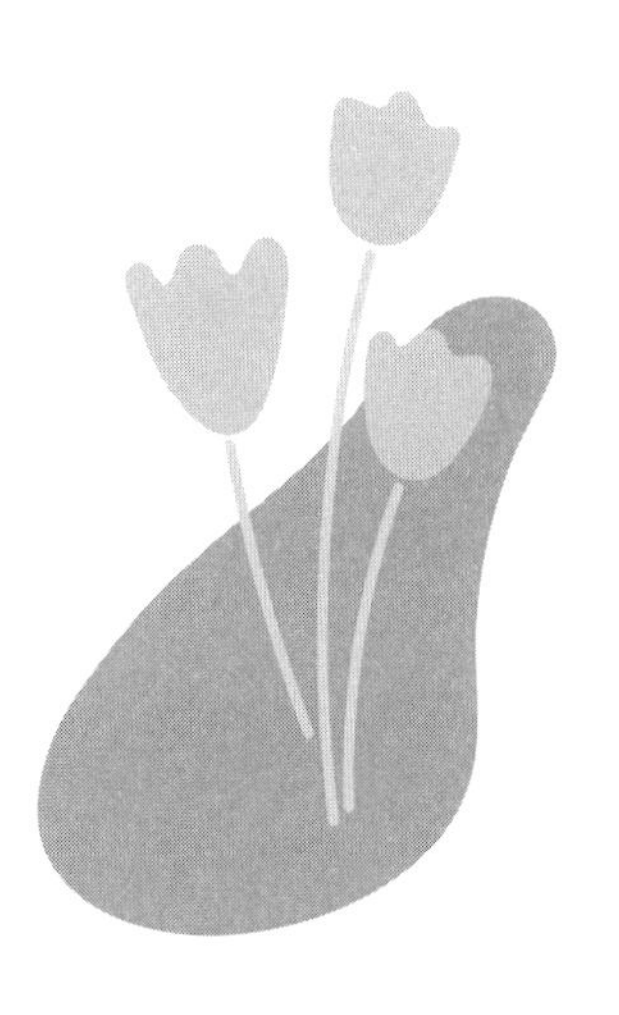

1 母さんに何も期待しない　「なんで私だけ」感情にふた

尾崎瑠南（作業療法士　23）

台所に立つと、敷きっぱなしの布団に座る母さんの背中が目に入る。周りには洋服や書類が散らばり、足の踏み場もない。居間のテレビから笑い声だけが響いていた。

中学生だった尾崎瑠南は、友人の家に遊びに行くと、いつも現実を思い知らされた。そこでは母親が「おかえり」と子どもを出迎え、晩ごはんを作る。学校の話にも耳を傾けてくれる。自分はそうではなかった。家中の家事を担い、自室が唯一の居場所だ。母親に何かを求めても無駄と悟ってからは、期待しないようにした。誰に言っても現状は変わらない。感情にふたをして、やり過ごすことにした。

◇担う

幼い頃は札幌市の一戸建てで不自由ない暮らしをしていた。家族で道内旅行に出かけた時も、母親は笑っていた。運転が趣味で、保育園に迎えに来るとそのまま近くの藻岩山へドライブした。後部座席で後続車を眺めるのが好きだった。家に帰ると手料理が並んでいた。

小1の終わり、事情はよく分からぬまま、引っ越すことになった。車も手放し、生活保護を受け始めた頃から母親は少しずつ変わっていった。荷物を段ボール箱から取り出すこともせず、寝ている時間が長くなった。料理を作らなくなり、酒やたばこの量も増えた。

しばらくして両親は離婚し、小3から母親と弟2人との生活が始まった。ほとんど動かない母親に代わり、年子の弟と2人で洗濯、掃除、買い物、料理など全ての家事を担った。「4歳下の弟は家のことには巻き込まない」というのが、2人の間の暗黙の了解だった。

年子の弟に家事をしないことを指摘されると、母親は「母さんだってがんばってるんだから」と泣いた。かつて保育士をしていた頃、職場での人間関係がうまくいかず、うつ病を患ったことがあった。門限に厳しく、自分の方を向かせるために、子どもを家に縛り付けておきたいようだった。

◇装う

母親は気持ちが落ち込むと、カッターで手首を切ったり、薬を大量に飲んだりする自傷行為を繰り返した。トイレに向かうドンドンという足音や、冷蔵庫を強く閉める音は「今夜は危ない」というシグナルだった。

「止めれば刃は自分に向く」。そう思うと声をかけられなかった。自傷行為があるたびに病院へ

付き添い、帰宅が午前4時になることもあった。寝ずに学校へ行くと、友だちはいつも楽しそうに見えた。中学生になってからは、周囲とのギャップが気になり始めた。

仲良しグループで、休日に父親と出かけた話で盛り上がることがあっても「聞き役」に徹した。適当に話を合わせることに慣れていった。「家族でディズニーランドに行った」と土産をもらうこともあったが、自分に夏休みの旅行先を聞いてくる友だちはいなかった。

周りはうすうす気づいていたのかもしれない。そうだとしても、貧乏だと思われないよう一度着た服は洗濯を欠かさず、においに気をつけた。筆箱も汚れが目立たないよう半年に一度は買い替えた。普通の家庭を装うのに精いっぱいだった。

何もかもが違う。なんで私だけこんなことをやってるのだろう。でもどう考えてみても、解決できそうもない。諦(あきら)めた方が苦しくなかった。

母親に行きたい高校を話すと反対され、抱えた思いが口をついて出た。「なんでこういう時だけ母親面するの」。もう、あの人に関わらないことだけが、自分にできる唯一の反抗だった。

◇あふれる

朝起きられず、学校に通えなくなったのは高1の秋だ。病院にかかると、医師は付き添いの母親を診察室から退出させた。「家で何か大変なことある?」。すぐには思い当たらなかった。「家事はしているけど」。一度声に出すと、母親との関係についてもするすると言葉が出てきた。

しばらく聞いていた医師が言った。「気づいてないと思うけど、それが負担になっているんだよ」。自分は気づかないふりをしてきたのか。無理に閉めていた心のふたが取れ、涙があふれた。

その後、母親だけが診察室に呼ばれた。何を話したのかは分からない。帰りにバスでショッピングモールへ寄ると、服や靴を買ってくれた。ファミリーレストランでごはんも食べた。

母親は翌日から、これまでを償うかのように張り切って料理を作った。お盆には主食と副菜が並び、うれしかった。が、予想通り1カ月ほどでぱたりと作らなくなり、また元の生活に戻った。

大学進学を機に1人暮らしを始めた。今は病院で作業療法士として働く。だが、母親からは頻繁に「顔出しに来て」とLINE(ライン）が来る。断れず立ち寄ることもある。ヤングケアラーでなくなっても、家族の関係からは逃れられない。

もう会わなければよいと思うこともあった。母親だと認めることはできない。でも、そのたびに昔の元気な「母さん」の姿が浮かんでくる。

（✎石黒 📷今里）

◉居場所ができて前を向ける

学校の先生や友だちに家のことを言っても何も分からないと思っているよね。話す相手もいなくて、しんどいことにすら気づいていないと思う。

でも、中3から通い始める学習支援教室では、話してもいいと思える同じ境遇の友だちやスタッフに出会えるよ。寝られないことや家に帰りたくないこと、母親の愚痴（ぐち）を、同情するでもなくただ聞いてくれる。居場所ができて、大学に進学するために勉強しようと初めて前を向ける。

安定した生活への憧れをずっと持ち続けてきた。今は職を持ち、それなりの生活を送っている。いつかは自分の家族をつくって、笑い合って過ごせたらいいな。

② 求め続けた女性の声　「自分に原因」責めた日々

工藤理江（ボイストレーナー　48）

「おんな声」で話せば、見た目が多少男性のままでも「ボーイッシュな女の子」になれる。トランスジェンダー女性にとっての声の重要性を、工藤理江はそんなふうに説明する。声帯の使い方を自在に変え、普段は疑いようのない女性の声で話す。「ほら、こうすると男になるでしょ」。親しい友人にはおどけて男性の声を出してみせ、驚かせることもある。

出生時の性別は男性。だが、幼いころから女性と自認していた。

現在はボイストレーナーとして、東京都内でカラオケ店の一室を借りて教室を開いている。自身と同じトランスジェンダーの人を主な対象に「女性の声」を出せるようにレッスンする。喉の筋肉を鍛える地道なトレーニングから歌唱、会話のシミュレーションまで。十数年前、友人に頼まれてやり方を教えたことが、この仕事を始めるきっかけになった。

◇暗中模索

幼少期に「オネエ」と呼ばれる人をテレビで見た。外見は女性でも声は男性だと分かり、声が

男女の判別に影響すると意識するようになった。声は多くのトランスジェンダー女性が共有する悩みの一つだ。

小学校高学年のころから、周囲の男子が声変わりしていくのに恐怖を覚えた。自分には変化がないはずだと信じたが、中学生になると、自分の身にも容赦なく同じことが起きた。好きな歌が歌えなくなり、活発だったのに無口な子になった。

女性の声がほしい。

その思いは気付けば行動に移っていた。高校卒業後、東京の専門学校に入学。千葉県八千代市の駅まで、自転車で20分の通学路は人通りが少なく、声出し練習に最適だった。ペダルを踏みながら思い付いたフレーズをできる限り高い声で発した。

成果を試してみようと1人でカラオケ店へ。マイクを握り、カセットテープに録音した。期待に胸を膨らませて再生すると、聞こえてきたのは「男性の声でも女性の声でもない。奇声だった」。

ショックは受けたが、立ち止まるわけにはいかなかった。独学を始め、国内外の本や論文を読み込んだ。声帯の使い方を工夫して音域を変える必要があると次第に理解した。歌手が使うミックスボイスという手法も学んだ。

◇手応え

学校卒業後も試行錯誤しながら、それでも男性として生活を続けていた。いきなり女性の声で社会に出るのは怖い。まずは実践の場がほしい。そんな時に「テレホンクラブ(テレクラ)」の存在を知った。

テレクラでは男性客からの電話に女性が対応し、性的な会話もする。一般女性が電話に出るという建前だが、実際はアルバイトの「サクラ」がいた。求人に応募し、鍛えた女性の声で客の相手をすることにした。親密な会話を求める男性に女性の声を使えばテスト代わりになると思った。

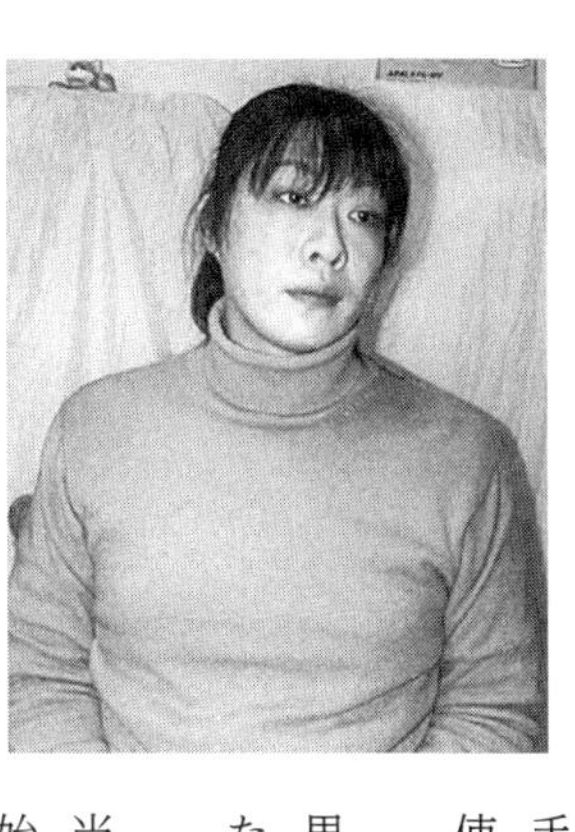

自主練習で得たおぼろげな自信は、確信に変わっていく。男性たちが満足げに電話を切る度に、成功体験が積み重なった。やがて店舗でトップセールスを記録した。

その後、いくつか職を経験し、雑誌のライターになった。当時30歳。ある日決意して女性の声を本格的に実生活で使い始め、服装や髪形も変えた。出版社の編集者たちは驚きつつも、好意的に受け止めてくれた。

数日後、編集者と一緒に知り合いの取材先を訪ねた。相手は戸惑った様子ではあったが、特に何かを指摘されることはなかった。

ただそれ以降、編集部から仕事の発注がなくなった。取材先から苦言を呈されたことは容易に想像がついた。

◇テキスト

職を探してある会社に履歴書を提出すると「性別と外見が違う」と断られた。現実の社会は一筋縄ではいかなかった。気を抜くと、突然涙がこぼれるようになった。

トランスジェンダーや性同一性障害について、今ほど知られていない時代を生きてきた。約30年間、性自認が一致しない原因が自分にあるのではないかと自問自答した。

誰に頼っていいかすら分からなかった。どうすれば、この状況から抜け出すことができるのか。ベクトルは自分自身に向かった。

社会の理不尽さに憤り(いきどお)を感じるよりも「まだ女性になれていない自分」に落胆した。女性として社会に受け入れられたい。そうしなければ生きていけないと思い詰めた。

費用をためて性別適合手術を受け、戸籍の性別を変更した。女性の声の教室を始め、同じ境遇の人に感謝されるようになった。付き合っていた夫と結婚し、ようやく人に頼れるようにもなった。

教室で使うテキストは当初、わずか2枚の紙だったが、今は約100枚に増えた。社会に拒絶されたあの日から、より「完璧な女性」を求め、しぐさや言葉遣いなど、新たな項目を加え続けている。

（✎伊藤元　📷藤井）

◉「理江」になるまで生きて

声変わりするまでは幸せだったよね。八代亜紀さんの曲をよく歌っていた。ピアノも習いたいってお父さんにお願いしたけど、「女の子がやるものだからだめだ」って。声が変わり始めて、混乱状態に陥っている今はとてもつらいでしょう。

この先、あなたは27歳の時にお父さんにメールでカミングアウトして、激怒されることになる。自死を真剣に考えた日々を思うと苦しい。

でも、数年後に勇気を出して「女性の名前をつけて」って頼むと、お父さんは私を焼き肉店に連れ出してくれる。最後にアイスを食べながら「理（さとる）」改め「理江（りえ）でどうだ」って。

その日までがんばろう。

3 生きていてもいいかな　トラウマ抱えケアの道に

木田(きだ)塔子(とうこ)（看護師　24）

2021年6月、東京大4年生だった木田塔子は、都内の病院でベッドの上にいた。泥酔していつもより深く手首を切った。リストカットは高校生の時から。切ると意識が痛みに向き、胸がプレス機で押しつぶされるような苦しさから少し逃れられる。向精神薬を過剰に摂取するオーバードーズ(OD)や多量の飲酒とともに、心の痛みを癒やす、生き延びるための手段だ。

救急搬送され、傷の処置を受けた後、5日後に精神科に入院した。担当医は「拘束(こうそく)ね」と冷たく言い放った。体の自由を奪う「身体拘束」。衝動的な行動をしないようにという措置だった。

天井を見つめて、永遠に続くかと思われる拷問(ごうもん)のような時間を耐える。訪れたのはかつて覚えた絶望感や孤独感だった。

◇爪先立ちで

生まれた家庭は暴力が支配していた。理不尽なせっかんと、絶えることがないいさかいは、繊細な子にとって存在を脅かす虐待だった。

家族の感情を刺激しないように常に無表情で過ごし、歩く時は爪先立ちで歩く。毎晩、神様に「お願いだから助けてください」と祈った。その苦しさに、恐怖や孤独や絶望という名前があると知ったのは、ずいぶん後になってからのことだ。

勉強だけが逃げ場で、中高は有名私立女子校で過ごした。豊かな家庭のお嬢さまたちは、皆が幸せに包まれているように見えた。中学生の後半にもなると「自分が死ぬか親を殺すか」というところまで追い詰められた。

一番の理解者だと思っていた友人に、そのことを打ち明けた。返ってきたのは「反抗期なんじゃない？」という言葉。ショックだった。「自分の気持ちは他人には、これほどにも伝わらないんだ」。もう誰にも助けを求めるまいと思った。

かたくなな決心を溶かしたのは、高1の時の担任だった。遅刻や欠席、登校しても保健室で休むことが多くなっていた木田に「どうしたの？」と尋ね続けた。

「話しても何も変わらないじゃないですか」。担任は言った。「でもあなたが話して、私が聞く、それだけで気持ちが楽になることもあるのよ」

◇ケアの現場

保健室の先生は、いつも温かく迎え入れてくれた。「死にたい」。ようやく本心を打ち明けると、

スクールカウンセラーにつながり、精神科にかかることになった。「話しても大丈夫な人がいるんだ」。驚きだった。
「あなたはずっと1人で生きてきたんだね」と保健室の先生は言った。「あなたには居場所がないんだよね」と医師は言った。初めて人に伝わった。幻影が映っているだけの、プラネタリウムの天井のような覆いが外れ、他者がリアルなものとして出現した。
もう一つ、木田を救ったのは学びだった。心理学や精神医学、社会学などの本を大量に読んだ。自分の心の内や、家族について考えることで、いくらか自己を客観的に見つめられるようになった。
自分の他にも傷を抱えた人はたくさんいる。そのことに気付き、吸い寄せられるようにケアの現場に向かった。炊き出しのボランティアや障害者の介助をし、大学で選んだのは看護学。自身の経験が、他者の苦しみを想像する助けになるのではないかと思う。

◇10回の入院

だが、死にたいという気持ちは相変わらず頭をもたげる。医学的には長期にわたって繰り返し受けた暴力が原因の「複雑性ＰＴＳＤ」という診断を受けている。

虐待のトラウマがよみがえる時、今まさに当時と同じ状況に置かれているという痛みを感じる。いわゆるフラッシュバックだ。飲酒やＯＤ、リストカットを繰り返し、入院歴は10回にも及ぶ。

自分が湯船だとすれば、底に穴が開いているのだと思う。だから根本的な安心感がたまらない。穴をふさぐには「あなたは生きていいんだよ」と言ってくれる、親の無条件の愛が必要だが、もうそれは望めない。だとすれば、薬や酒に穏やかに依存し、絵や文章といった形で自分を表現しながら、何とか生きていくしかないのではないか――。

昨年から、東京都内の精神科クリニックで看護師として働き、不登校や家庭環境に悩みを持つ子どもたちの話を聞く。「泥沼に沈んでいる子には、生身のやさしさが必要だと思う」。知識や技術に頼るだけでなく、生身の人間として患者に向き合うことが、看護師という仕事だと思うのだ。

仕事にはやりがいを覚えながら、真っ黒なヘドロのような、重くて汚いものが体に詰まっている感覚が常にある。

高校生の頃まではいつも死の崖っぷちに立っていた。だが担任や保健室の先生らが手を差し伸べてくれたおかげで、今は崖の際から少し離れた地点にいると思える。

強い風には吹き戻されそうになるが、最近は迷いながらも「生きていてもいいかな」と思えるようになった。看護師として、少しでも人の心を癒やすことができるなら。（✎岩川 📷今里）

◉ただじっとそばにいて

幼稚園の時、生きているのが怖かった。じっと息を止めて、苦しくなってあわてて吸う。そんなことを繰り返していた。ふすまの向こうからいさかいの音が聞こえてくる。耳をふさいで眠れない夜を過ごした。

そんなあなたに私は何て声をかければいい？

今はただじっとそばにいて、安心させてあげたい。「死んだらだめ」なんて簡単には言えない。誰に何を話しても意味がないと思う苦しみは、想像を絶するから。

でも、私には「助けて」と言える時が来た。それを受けとめてくれる人がいたから。だから私も、誰かの心の奥底にある「助けて」に、耳を傾けられる人になりたい。

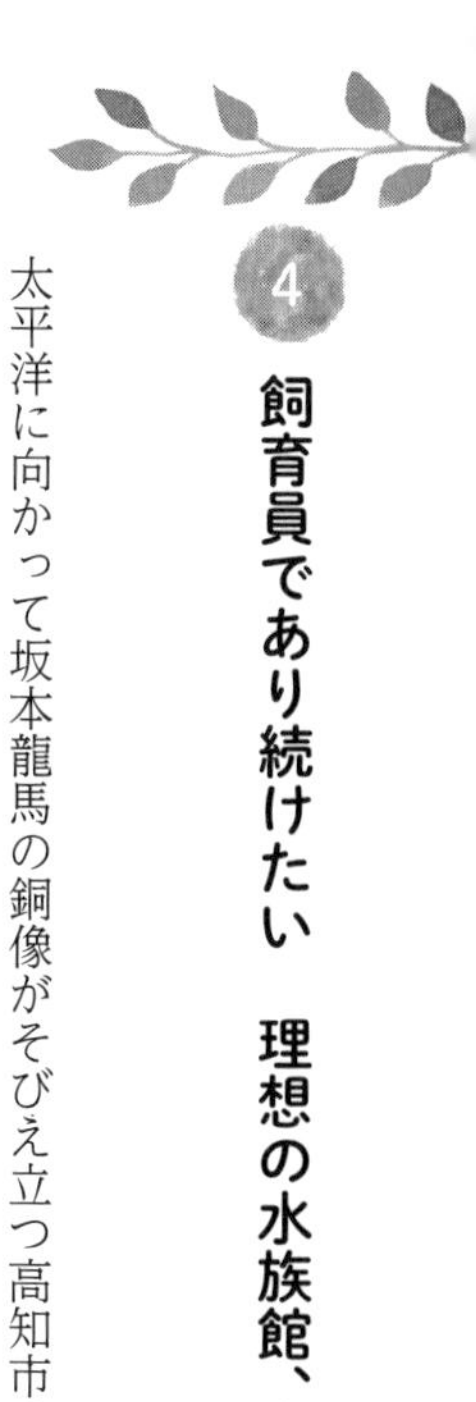

4 飼育員であり続けたい　理想の水族館、実現遠く

盛田勝寛（水族館飼育員　62）

太平洋に向かって坂本龍馬の銅像がそびえ立つ高知市の桂浜。そこにある小さな水族館で盛田勝寛は週2回、アルバイトの飼育員として働いている。いつも午前6時前に来て、誰もいないバックヤードで黙々と餌の準備を始める。約40年前、ここで働き始めたころから変わらない。

◆哺乳瓶

北海道紋別市で生まれた。生き物が大好きで、動物園の飼育員に憧れた。小学生の時、父親が買ってきた熱帯魚の飼育にのめり込み、水族館で働く夢を持つようになった。埼玉県の私立大3年生の春、魚類専門雑誌で桂浜水族館の存在を知り、アポイントも取らずに押しかけた。

訪れた水族館は「よくこれで営業しているな」と驚くほど老朽化していたが、水槽の中の魚は体の艶や目の輝きが良く、大切に飼われているのが分かった。「どうしてもここで働きたい」と思い、アルバイト名目で長期休みのたびに訪れては館長に頼み込んだ。そして「給料は安いぞ。それで良ければ来たらえい」との言葉をとうとう取り付けた。

飼育員は自分を入れて4人だけ。早々にアシカを任され、餌の魚が入った重いバケツをいくつも両手に持って走り回った。全てが手探りだったが楽しかった。

母親に〝育児放棄〟されたアシカの赤ちゃん「元太（げんた）」は、毎日家に連れ帰って面倒をみるほど大切に育てた。粉ミルクを溶いた哺乳瓶（ほにゅうびん）を口元に差し出すと、勢いよく吸い付いた。瓶から伝わる感触は今も手の中に残る。

子どもの頃からの夢がようやくかなった。

◇雇われの身

ところが、しばらく働き続けていると、水族館には自分が思い描いたものとは違う仕事がたくさんあることを知った。

当時の水族館は、イルカやアシカのショーが目玉イベントで、1日5回程度開催されていた。動物に大きな負荷がかかるため、飼育員としては反対だった。生き物に本来の動きではない「曲芸」をやらせることに強い抵抗を感じていた。

大型連休や夏休みには予定の回数を超えてショーの開催を求められ、担当するアシカが餌を与えられすぎて下痢をすることもあった。飼育員も皆、疲れ切っていた。客が無邪気に喜ぶ姿を見て、無性に腹が立った。

飼育員全員で「もうやめるべきではないか」と上層部に訴えたが「客はショーを見に来ている」と、頑として聞き入れてもらえなかった。

「こっちは雇われの身。金を出す側は強いし、口も出してくる」。客が入らなければ、餌代や自分たちの給料が払えないのも、また事実だった。

ちょうど飼育員になって10年目の33歳の頃、水族館を舞台にした小説を書き始めた。家庭でも妻との関係がうまくいっておらず、自室に引きこもって退屈しのぎに始めたのがきっかけだった。書いている間は嫌なことを忘れられた。書きためた原稿用紙は、いつの間にか200枚になった。

物語の舞台は小さな水族館。釣りと魚が好きな館長が親の遺産を元手に建設し、水産学部を卒業した青年がふらっと訪れ、飼育員として雇われる。規模が小さく、はやりのショーを一切やらないため、いつも閑古鳥(かんこどり)が鳴いていた。

青年と館長はこんなやりとりを交わす。

――ねえ、館長。うちもアシカショーでもやって客を増やしましょうよ。

――そんなことしたらどこにでもあるような水族館になっちまう。

「水族館に必要なのは、ちゃんとしたテーマと客にこびない姿勢だ」。日ごろから口にしている自分なりの信念を、盛田は原稿用紙に詰め込んだ。青年は亡くなった館長の跡を継ぎ、理想の水族館を実現させる。

小説は出版社の賞を取り、単行本として書店に並ぶほど話題になった。一方で「軽すぎる。結末をハッピーエンドにする必要はあるのか」との批判も受けた。いかんともしがたい現実から抜け出そうと願う自分自身が、そこには確かに反映されていた。

◆舞い戻る

その後、盛田は2度にわたり水族館を離れた。最初は人間関係、2回目は持病の悪化が理由だったが、2度とも舞い戻ってきた。

他の仕事をしている時も、水族館のことはいつも頭の片隅にあった。若い自分を引き受けてくれたことへの恩義もあった。「飼育員であり続けたい」と強く思った。

桂浜水族館は今、若い飼育員を前面に押し出した動画配信やユニークな交流サイト(SNS)発信で全国的な人気を博し、営業戦略的に成功している。アシカショーは新型コロナの流行をきっかけにやめた。

方針に不満はない。ただ、盛田の関心はそこにはない。「水族館をどうこうしようなんて気持ちは今の俺にはないんだよ」。若い飼育員が仕事をしやすいように、誰よりも早く来てバケツを洗う。ただ目の前の仕事をする。これまでと同じように。

（✎宮川　📷伊藤暢）

◉何も言うことはない

おまえは、大学に行って、スーツを着て就職活動をして、ペットフードの会社の面接試験でこう言うんだ。「動物に関わる仕事がしたくて御社を選びました」。入社後は、ペットフードを抱えて、ホームセンターなんかに営業をかけて回る。私生活では、社内恋愛で結婚して、子どもが1人くらい生まれて……。

今とは違う、こんな人生だったらどうだったろうと一度だけ考えたことがある。けど、やっぱり違うな。子どものころからやりたかった飼育の仕事に就けて、今も続けることができている。それだけでいい。だから昔の自分に「ああすればよかった」とか、言いたいことなんかないな。

5 捨てられそうになった子　仏門でほどけた執着心

福江悦子（彫刻家 54）

彫刻家の福江悦子は10歳の時、伯母からこう言われた。「おまえは生まれてすぐ、捨てられそうになったんだよ」

北海道旭川市の生家はその頃、立て続けに兄妹が生まれ困窮していた。家族会議が開かれて両親が決心を明かしたのだという。祖父に問いただすと「でもなんとかみんなで育てようってなったんだよ」と否定しなかった。

自分はどうせ捨てられていた子なんでしょ……。母と口論になるとつい口走ったが、そのたびにはぐらかされた。中学生の時に問い詰めると、母はこう言った。「今生きてるんだからいいじゃない」。ごめんねと言ってほしかった。それがかなわなかったことに、傷ついた。

◇欠落感

幼い頃から離人感のようなものがあった。高校を卒業して地元の信用組合に入ったが、不安神経症を発症して早々にやめた。22歳の時、交際相手について行って東京で暮らしたが、拒食症になって帰郷。その関係もいつの間にか終わった。

25歳で22歳年上の人と付き合った。自分を包んでくれる大きな愛を求めた。だが自分が愛されたい形で愛されないという思いがいつも強かった。祝福されて生まれてこなかったことと、どこかで結びついていたと思う。

結婚願望も強かった。「ちゃんとした人間だと見られたい」という思いは、欠落感の裏返しだった。なんでこんなに不安なんだろう。どんなに恋愛を重ねても、満たされないのはなぜだろう。30歳の時、同居した相手は寺の住職だった。結婚しなかったのは、先妻との離婚が成立しなかったからだ。その影響で仏教に触れるうちに、これこそが自分の迷いに答えをくれる道ではないかと思った。

幼い頃から繰り返し同じ悪夢を見る。知らないおじいさんの顔のしわが虫になってぼろぼろと崩れ、恐怖におののいていると突然、地割れがして真っ逆さまに落ちる。生きていることへの根源的な不安。仏教はそれを解いてくれるのではないか。2001年、1年間で僧籍が得られる大谷専修学院(京都市)という学校に入学する。

◇母の孤独

入学時の面接で、これまでの心の遍歴を語った。すると面接に当たった学長は言った。「あな

たはよくここまでたどり着けましたね」。愛を巡る葛藤の末に仏門に近づいた縁を、祝福してくれた。自分はここに来ることを、30年も願われていた。おいでおいでと招かれていたのだ。やっと安住できる場所に来られたと思うと、涙が出た。

ある日の授業で「親も昔は子どもだった」という言葉に触れる。それが頭から離れず、母に電話をしてこう言ってみた。「私を産んだ時、母さんも大変だったんだね」。母は電話口で泣いた。「大変だったんだよー」。母はまだ二十二、三の娘さんで、貧乏のどん底にあった。自身の母親を早くに亡くし、孤独だったということに思い至る。

憎しみばかりではなかった。幼いころ一緒に弁当を持ってサイクリングに出かけて雨に遭い、ずぶぬれになって家に帰ったこと。図画で賞を取った時、褒美に木箱入りの絵の具を買ってもらったこと。楽しい思い出を台無しにしたくなかった。それにはゆるす、という心が必要だった。生まれ変わったような気がした。1年後、得度（とくど）した。

◇出会いと別れ

それからの人生が順風満帆（じゅんぷうまんぱん）だったわけでは決してない。特に男女の関係においては。僧籍を得た後、住職とはさまざまな確執があって別れた。学院で言われた「仕切り直す勇気を持ちなさい」という言葉が後押しした。

36歳で結婚した相手とは10カ月で離婚。今も治療を受けているうつ病は、その時に発症した。それでも生涯のパートナーが欲しいと思って相手を探していたところ、彫刻家と知り合い結婚した。

その夫から彫刻を学んだ。才能があったのだろう、学び始めて1年後には公募展に入選するまでになった。だが教師としては大きな恩義があるその男性とも、生活上の齟齬（そご）があり、4年で別れた。

いずれの相手にも真剣に向き合った。だがみんな自分を愛することと人を愛することのバランスが取れていないのだと思う。それは自分もそうだ。だが、出会いと別れはいつも何かをもたらしてくれた。必要な時に、必要な人と巡り合えたのだと今は思う。

福江の彫刻作品は、大まかな構想があるだけで、現れ出る形に導かれるように彫り進められる。最近の個展に出した「凍裂」という作品は、制作中に大きく割れてしまった胸像を、そのまま展示したものだ。偶発的に生まれた表現を受け入れる。仏教に「柔軟心(にゅうなんしん)」という言葉がある。物事にとらわれず、柔軟に調和する心という意味だ。それはどこか彫刻における、また生き方における福江の姿勢を思わせる。かつての愛を巡る激しい執着がほどけた今、自分の行き先が楽しみだ。

もちろん、新しい恋の行く末も。

(✎岩川 📷藤井)

◉変化していいんだよ

自分が捨てられていたかもということに、ずっとこだわっているよね。お兄ちゃんは出来がよく、勝手に嫉妬した。劣等感の塊だ。誰かの愛がほしくても、愛し方も愛され方も分からない。ずっと何かに執着している。

でも仏教の「柔軟心」という言葉に出合って、心がほぐれた。ずっとマイナスだと思っていることも、柔らかく考えると実は裏側にプラスがある。それまでの自分に執着せずに、変化していいんだよって。

今、私は彫刻をやってる。自分を表現できる方法が見つかって、すごく満足しているよ。全てのことを肯定できる。世界は広いよ。あなたが思ってるよりずっと。

6 許されてここにいる　加害認識し悩みに耳傾け

沼田和也（牧師　50）

幼稚園の園長である沼田和也は疲れ果てていた。2015年、幼保連携型認定こども園移行のため、作業に取り組んでいた。山積みの書類を前に思うのは「自分は保育の専門家じゃない」。沼田は日本基督教団の牧師。ある地方都市の教会に併設された幼稚園を預かる立場だった。

早朝から夜まで職員室に詰め、慣れない業務をこなす。空き時間に神学書を開くと、ベテランの副園長は「ここでは幼稚園の仕事だけしてください」。では、牧師のための時間はどこにある？

ストレス解消はツイッター（現X）だ。園長業務に忙殺される自分が牧師らしく発言できる場。反応が多いと心が躍った。画面に没入する時間が増える。あきらかな依存だった。

仕事には一生懸命だったが、ミスは出る。注意を受けて突然切れた。「なんやねん、真面目にやっとるやないか」。副園長に罵声を浴びせると、職員室を飛び出した。

やってしまった。心配する妻の真由に「死にたい、もうあかんわ」。沼田は長く精神科で投薬治療を続けてきた。入院を勧める真由の言葉に覚悟を決めた。主治医は言った。「閉鎖病棟に入ってもらいます」
強い希死念慮や暴力性の懸念からだった。2カ月間の閉鎖病棟の生活が始まった。診断は発達障害。怒りが制御できずに切れる行為を繰り返して行き着いた場所だった。

◇被災と挫折

沼田は神戸市に生まれた。医学部を目指し猛勉強していた高校時代、受験失敗の恐怖に駆られ、学校へ行けなくなった。留年した後に中退し自宅に引きこもった。

それでも人から尊敬される医師になりたかった。医学部を見据えての勉強は続け、手応えが出てくる。1995年のセンター試験はよい点が取れたと実感した。「やっと手が届く」。その直後、阪神大震災に遭遇した。

自宅は半壊し、外へ出たら多くの人が亡くなっていた。ストレスで過呼吸になり下痢が続き、結果は不合格。「自分を追い詰めるような受験はもう嫌だ」。友人の影響で高校1年に洗礼を受けていた沼田に勧められたのは、関西学院大神学部。入学時は25歳だった。

◇噴き出す怒り

研究者を目指して大学院に進み、牧師になる実習としての夏期派遣で愛媛県宇和島市の宇和島中町教会を訪れた。

実家から出たこともなく緊張していた沼田に、関係者は温かかった。「『ありのままのあなたでいい』と」。その教会に04年、牧師として赴任し、07年には兵庫県在住だったクリスチャンの真由とお見合い結婚する。

ただ、知らない土地でストレスを抱え、ふとんから出られなくなった真由を怒鳴ってしまう。その場で謝ったが、激しい夫婦げんかをすると、食器を床にたたきつけた。

子どもの頃からかんしゃく持ちだった。教会でも対人トラブルを起こした。「おれは悪くないのに、おればっかりが、しんどい目に遭う」

不調の真由が故郷で過ごすようになり、離任を決めた。ただ、次の教会が見つからない。退職金と貯金が底を突いた。郵便配達のアルバイトを始めたが、上司は頻繁に暴言を吐いた。客に怒鳴られて土下座もした。屈辱で気持ちがすさんだ。

反動は別の場で噴き出す。コンビニで店員がもたついていると、「この無能!」。街ですれ違った女性が軽くぶつかった際は「殺すぞ」と叫んだ。すぐに反省した。ただ、反論できない相手を選んで怒鳴っている。その自覚は明確にあった。

◇閉鎖病棟での内省

切れた後に希死念慮が募る。入院はそれが限界に達した段階だった。自由の利かない閉鎖病棟の日々。驚いたのは主治医の厳しい態度だった。

「「今まで大変でしたね」と言ってもらいたいのでしょう。問題を全て周りのせいにし、自分の「ありのまま」を受け入れてほしい。そんな考えでは同じ失敗を繰り返すだけ。自身と対話しなければ駄目です」

主治医は辛辣(しんらつ)な言葉で沼田の考えを否定した。「侮辱(ぶじょく)だ」。そこでも切れた。椅子を蹴飛(けと)ばすこともあった。ただ、主治医は動じず診察の放棄もしなかった。

相手はどう考えたと思うか。主治医はそれを繰り返し問うた。悔しかったが、反論はできなかった。閉鎖病棟で内省する中、被害者意識に凝り固まった自身の考えが少しずつ変化していった。

主治医もクリスチャンで、生き方に苦しんだ経験があることを後に知った。「だから放っておけなかったのでしょうね。彼がいなかったら死んでいたかもしれません」

現在、東京都北区の王子北教会で牧師を務める沼田は、さまざまな悩みを抱えて訪ねてくる人々の苦悩にじっくりと耳を傾ける。自分は多くの人を傷つけた加害者だが、訴えられもせずに許されてここにいる。その負い目を少しでも返したい。

ただ、今は聴く側にいる自分が今後切れないと誓約することはできない。沼田にとって内省と社会復帰は現在も進行形だ。

（✎西出　📷京極）

◉当時と今は地続き

あの頃は切れる行為を繰り返していた。現在は安定しているものの、投薬治療は続けているし、カウンセリングも受けている。なので当時と今は地続きという感覚だ。今後もあの頃と同じようなことを起こしてしまうかもしれない。精神的にへこむことなんて常にある。もう大丈夫だ、とはとても思えない。

人はその時どきで精いっぱいの選択をしながら生きている。だから今の自分が当時の自分に言えることなどない。言ったら「余計なお世話だ」と言い返してくる当時の自分の姿が目に浮かぶようだ。未来の自分から今の自分がアドバイスされたとしても、同じように感じるだろう。

7 熱くて意味ある空間を　譲れぬ一線、屈辱受け入れ

柳田尚久（轍学舎塾長　65）

自分の腕一本で生きられると信じていた。「こうなったら辞表を出すしかない」。とどまる選択肢は頭になかった。柳田尚久は2008年3月、11年間勤めた茨城大附属小学校を退職し、28年間の教員生活に別れを告げた。50歳だった。

茨城県の公立小中学校の勤務を経て同校に赴任した。授業研究に対する熱意や、1人の児童のことを教員みなで徹底的に話し合う雰囲気が水に合った。尊敬する先輩からも「この学校に骨をうずめなさい」と言われ、道を定めたつもりだった。

ところがその頃同校の人事方針が変わり、上司から公立小の教頭への異動を命じられた。管理職の仕事に興味はなく、何より想定外の異動が受け入れられなかった。引き留めてくれる同僚の声ももはや耳に入らなかった。

◇学びや

新学期になった。働く場を失い、想像した以上に寂しさを感じていた。「自分で選んだ道じゃないか」と自らに言い聞かせながら考えた。「やれることがあるとすれば、多分塾だろう」

進学塾ではなく、勉強が苦手だったり、学校に足が向かなかったりする子を相手にしよう。そう決めると、すぐに銀行に融資を依頼した。立地を考え、内装や備品にもこだわって準備を進めた。附属小時代の保護者も手伝ってくれた。

3カ月後、教育委員会が入る県庁の真向かいに学びやはオープンした。名前は「元氣塾（げんきじゅく）」。9人の塾生がやってきた。緊張感と高揚感に包まれた初日の授業は、あっという間に終わった。帰り支度をして警備システムにカードを通した。「戸締まりが完了しました。お疲れさまでした」。誰もいない暗闇に無機質な声が響く。

附属小で何度も聞いたおなじみの声だ。教員時代もいつも遅くまで働いた。やりがいも感じていた。しかし、自分の学びやを一から作り上げた充実感はまた格別だった。

不覚にも涙が出た。駐車場に行き、車のシートに身を預けると力が抜けてしばらく動けなかった。

◆ある塾生

滑り出しは順調そのものだった。教員時代のつてもあって生徒は100人を超え、県内に2カ所目も開いた。担任の時にやっていたように、毎週のように手書きの〝学級通信〟を発行した。「熱くて意味のある学びの空間をつくっていこう」。創刊号で高らかに宣言した。

教え子に一風変わった生徒がいた。中3から2年間通い続け、高校には行っていなかった。特定の場面になると、言葉が出てこない場面緘黙症の男子だった。柳田が「高校には行きたいの？」と聞いても返事はなかった。

ある時、塾のスタッフが食事に連れ出し「塾長が心配していたよ」と話しかけると、生徒は意思を伝えられない負い目を感じていたのか、ふいに泣き出した。その話を伝え聞いた柳田が「おまえの気持ちはよく分かった」と頭をなでると、彼は照れくさそうに笑った。

「教員時代の自分なら言葉で事情を説明するように求めていたかもしれない。彼みたいな子に接したくて、塾を続けている気がする」。自らをさらけ出し、子どもが心を開くまでじっと待つ。ゆとりある空間ならではの関わり方は、柳田が理想とするものだった。

生徒は次第に周囲と会話をするようになった。「算数の問題が分からない」と嘆く小学生には「そんなの分かんなくたって生きていけるよ」とぽつり。塾長の口癖をまねる姿が笑いを誘った。

◇再スタート

柳田は学びの場を大切に育んでいった。教育内容にも自信があった。しかし、経営に関しては素人同然だった。中3生が抜ける3月には月謝が数十万円も減った。収支は目に見えて悪化し、塾の立ち上げに協力してくれた保護者からも「今の時代は進学に特化しないと厳しい」と進言された。

経営の才覚のなさは自他ともに認めても、塾の在り方は譲れない一線だった。「進学塾にしてしまったら、自分が塾を始めた意味がなくなる」。突っ張ってはみたが、家賃も払えなくなり、これ以上人に迷惑はかけられないと腹をくくった。

開塾から10年目の春、自己破産を申請した。「経営的にやっていけなくなりました」。保護者もおよそのことは察してくれたようだった。

自家用車は差し押さえられ、裁判所に通う惨(みじ)めな日々を送った。10年間の人生を象徴する「元氣塾」の屋号は、手放すしかなくなった。

救いだったのは、塾の性格は変えずに「轍学舎（わだちがくしゃ）」として再スタートが切れたことだ。苦しい時もいつも味方になってくれた公立小時代の同僚が経営を引き継いでくれた。「もしあなたが進学塾に宗旨変えしていたら、自分はここにはいなかっただろう」と言いながら。

柳田は塾長のまま、今も塾生と向き合っている。切り盛りするのは相変わらず大変だ。生徒が増えればうれしいが、1人に割（さ）ける時間は減る。明日もまた、答えのない問いが待ち受けている。

（✎名古谷　📷藤井）

◉初心を忘れずに

自分には特別な力があると思ってない？　それは慣れ親しんだ学校の中だけで通用する力。外の世界はまた別の論理で回っている。だけど何度考え直しても間違った選択をしたとは思えない。この先大変な人生が待っているけど、身震いするような感動にも出合える。

塾を始める時、どんな学びやにしたいか散々考えて「苦しんでいる子のために」と紙にしためたっけ。あの時の初心を忘れなければ大丈夫。しんどくても、この塾を続けていれば救われる子たちはきっといる。

できれば元氣塾を守り続けてほしいな。経営も多少は学んでおいた方がいいよ。駄目もとだけど一応伝えておくわ。

8 母でも私のままで　長男の事故、中傷に動揺

栗並（くりなみ）えみ（働く母親 44）

2010年秋に保育園で起きた窒息事故で、栗並えみは1歳の長男寛也（ひろや）を失った。事故の翌年、パソコンの画面を見ると、ネット上には自分を責めるコメントが並んでいた。「働いて、子どもの面倒を見ない母親が悪い」「かわいい盛りなのに、なぜ預けるの？」。事故が地元メディアに取り上げられたことへの反応だった。

共働き家庭で育ち「働く母」という生き方に疑問を抱いたことはなかったが、見知らぬ者からの言葉の刃に揺らいだ。「好きな仕事を続けた私が悪いのか。預けてまで私が働く意味は何なのか」。自分を責める気持ちにのみ込まれそうになり、必死で考えた。答えが見つからないと、もう立っていられない気がした。

◆搾取

愛知県碧南（へきなん）市で生まれ育った。郵便局員だった母の帰りは遅く、家には自営業の父と祖母がいることが多かった。仕事で表彰され、管理職になった母の姿は格好よかった。家にいる時は少し

ずっこけていて、かわいらしいところも好きだった。親戚から仕事を辞めるよう言われていた母を、父がかばっていたと知ったのは大人になってからだ。

地元では「女の子は勉強しても意味がない」という親戚らの言葉に傷ついた。希望する職を目指せるようにと大学へ進学。卒業後は道路や河川の管理に携わる仕事に就いた。専門職ではないが「世の中の役に立てる」と意欲が湧いた。

男性が多い職場で、最初は若い女性であることを搾取(さくしゅ)されるような思いをした。愛想良く電話を取り、来訪者に対応することを求められているように感じた。「男の人を下支えするためにいるんじゃない」とつらかった。

2年後に異動。法令や制度の知識を仕事に生かせるようになり、ようやくやりがいを感じた。

27歳で、大学の先輩だった秀行(ひでゆき)と結婚した。穏やかで賢く、他者を尊重する姿に引かれた。寛也が生まれて1年間の育休を終え、再び仕事に向き合い始めた時に事故は起きた。

◇理不尽

「おやつのカステラを喉に詰まらせた」。保育園からの連絡で病院へ駆けつけると、チューブや人工呼吸器につながれた、おむつ姿の寛也がいた。「お母さん来たよ」。大好きな「かえるの合唱」を耳元で歌い、絵本を読んだ。39日後、腕の中で息を引き取った。

大人が見守っているはずの場所で、なぜ息子は死んだのか。夫婦で保育士らへ聞き取りを始めた。部屋には規定より多い園児がおり、担当者が寛也から離れていたことが分かった。

事故がメディアに取り上げられると、ネットの心ない声に傷つけられた。母親を責めるものばかりで、父親への意見は一つもない。理不尽さを感じながらも、「働く母」という自らの生き方を振り返り始めた。

「寛也君ママ」と呼ばれることに違和感があった。1人の人間として立ち、社会とつながりたい。その思いを実現する手だてが仕事だった。

子どもはかわいく、大切な存在だ。だが、ママ友たちと「子ども」を主語にした会話を重ねていると、自分が消えてしまいそうな気がした。

一方、仕事以外では寛也のそばをわずかでも離れるのは後ろめたく、美容院にも夫に申し訳なく感じながら出かけた。夫は普段からおむつを替えたり、食事をさせたりして子どもと関わろうとしていたのに、自分から遠ざけてしまった。子育ては幸せで、苦しかった。

復職まもない頃、雑誌で女性政治家が「出産後、全ての飲み会を断っている」と発言する記事を読んだ。こんなに活躍している人でも子どもが優先なんだと思うと、子育てを苦しいと思ってはいけない気がして口に出せなかった。「仕事以外の全ての時間を子どもにささげるのが母親」。そんな偶像に縛られていた。

園の対応には以前から疑問を抱いていたが、「寛也のことは私がやらなきゃ」と思い込み、夫にも相談しなかった。

◇おかぁ

1人で抱え込まなければ、違う結果もあったのだろうか。ネットでは中傷されたが、夫や実家の家族に「母親なのに」と言われたことは一度もなかった。かたくなに持ち続けていた「母親像」は、1人で作り上げた呪縛だったのかもしれないと、徐々に考え始めた。

そんな時、子育て支援団体で出合った「母親が自分らしく生きることが子どもの幸せにつながる」という言葉が、すとんとふに落ちた。母も、ことさら自分を犠牲にしてはいなかったのではないか。仕事を頑張る背中と家庭での姿のギャップも含め、自分は等身大の母が好きだった。あれから2人の子どもに恵まれ、仕事も続けている。ただ、全てを背負うのはやめた。私は私でいい。

毎朝、小学生の次男(12)と長女(9)の朝食の準備は夫に任せて出勤する。長女は「おかあは仕事が楽しそうでいいなあ」と笑ってくれる。

（✎兼次　📷今里）

◉寛也の気持ちを考えて

胸を張って働きたいのに、子どものために犠牲にならなきゃいけないと思い込んで苦しかったよね。もっと自分を出していいんだよ。がんじがらめになって息が詰まって、そんな姿を寛也君はどう思うかな？「僕のために苦しんでいる」と知ったら、悲しい気持ちになるはず。

進学に就職、努力で切り開いてきたよね。でも事故が起きて、自分の力ではどうにもならない現実を知った。弱い立場に置かれなければ、ずっと傲慢（ごうまん）な人間だったかもしれない。

今は保育や教育現場の安全啓発の活動もしている。やりたいことに向き合う姿は、子どもたちにきっと届くよ。

9 あなたのことが怖かった　重い告白、異変の始まり

荻野善弘（カレー店店主　44）

目の前で土下座する後輩は、小刻みに体を震わせていた。「すみません。すみません」。任せていた支店の仕事を放り出し、遊び歩いていたことを認めた。レジからは売上金もなくなっていた。カレー店の店主荻野善弘は、とがめるよりも「なぜ気付いてやれなかったのか」と悔やんだ。仕事がうまくいかないのなら、どうして相談してくれなかったのか。

「あなたのことが怖かった」。後輩は小さな声を振り絞った。弟のようにかわいがってきた相手から突き付けられた言葉は、あまりに重かった。

2012年秋。体調の異変は直後に始まった。

◆表現者

兵庫県丹波市に生まれ、高校時代からスケートボードにのめり込んだ。週末になると、大阪に出向いてはスケボー仲間と技を競い合った。

23歳の時、大阪のスケボーショップの近くにあるカレー店に立ち寄り、その料理に衝撃を受けた。「これまで食べたことのない難解な味だ」。それぞれの具材が混然となって、直径30センチのプレート上で自己主張していた。「自分もこの小さな空間の表現者になりたい」。強い感情が湧き上がり、その場で「将来はカレー店を開く」と決めた。

6年間の修業を経て08年、大阪・北浜に「コロンビア8」をオープンさせた。地元のグルメ雑誌に取り上げられると、スパイスカレーの聖地として一躍人気店に。新店舗を開くため店長に指名したのが、スケボー仲間の10歳年下の後輩だった。

腕一本で道を切り開いてきた先輩に憧れ、後輩は「ぜひ自分にやらせてほしい」と申し出た。その意欲に荻野は賭けた。

◇1人1笑

関西人の荻野にとって、店はお客さんを楽しませるステージだ。カレーを褒められるだけでは満足できない。初めての客には流れるようなリズムで食べ方を講釈する。

「右手にスプーン、左手にシシトウを持って食べるのがうちのカレー。大阪では常識ですよ」。接客を重ねる中でたどり着いた決めぜりふだ。「そんなの聞いたことないです」。戸惑う客の反応に「みんな知ってて黙ってますからね。どや顔で人に教えたらだめですよ」と返す。「でもカレーは本当においしい」「おいしいのは知ってます」。軽妙なトークに客も引き込まれていく。

「店長はファンタジスタでなければ」と自分に言い聞かせ、来客中一度は笑ってもらう「1人1笑」をモットーにしてきた。後輩もその後ろ姿を追い、表面上は先輩のまねをしてみたが、一朝一夕に身につくような技量ではなかった。荻野も気付いていながら、手を差し伸べてやれなかった。

「怖かった」という言葉が全てを物語っていた。「自分がうまくできたからといって、人も同じようにできると考えているなら、あなたは傲慢(ごうまん)だ」。伝えたかった意図はそういうことだろう。

後輩は店を去った。スケボー仲間の間では「荻野が一方的に解雇した」とのうわさが広まり、店にやって来なくなった。

一度に大切なものを失った荻野は円形脱毛症になった。声もかすれ始めた。病院に行くと、声帯萎縮症と診断され「ストレスが原因だろうが、治療の方法はない。いずれ全く声が出なくなる可能性もある」と言われた。

大切にしてきた客とのセッションから、即興のリズムが失われてしまった。以前の倍以上息を吸い込まないと、同じように声が出せない。息継ぎの回数は増え、気管支につばが入ってせき込むたびに、苦しくてカウンターの下にしゃがみ込んだ。

◇弱さを認める

発症から10年後の22年、知人でオーストラリア先住民族の楽器「ディジュリドゥ」奏者のＧＯＭＡに偶然再会した。

15年ぶりに話し込むと「最近は絵を描いている」と知らされ、不思議に思った。事故で頭を強打し、後遺症で後天性サバン症候群になったのだという。脳に衝撃を受けた後、特定の分野で突出した能力を発揮する非常に珍しい病気だが、同時に昔の記憶を失う障害にも悩まされていた。

「音楽以外に絵の才能まで手に入れて幸せな人だ」と誤解を受けてきたＧＯＭＡと「自分の苦悩は人に話しても仕方がない」と思い詰めてきた荻野。２人とも見た目には異変が分からず、周囲の無理解に苦しんでいた。

「これまですごくしんどかったでしょう」。荻野がＧＯＭＡの心情を推し量ると、「そんな風に言ってくれる人はいなかった。優しい言葉をありがとう」とＧＯＭＡも荻野の症状を気遣った。

昔の自分ならＧＯＭＡの傷みに気付くことはなかっただろう。病気になるまで店の運営は順風満帆で、怖いものがなかった。他人に弱さを見せるような生き方とは無縁だと思っていた。

症状が改善する兆しは見えてこない。これ以上悪化したら、マイクを使ってしゃべるしかないかと考えることもある。ただ、そんなステージも悪くないなと今は思える。（✎名古谷 📷京極）

◉晴れの日ばかりじゃない

「カレーしか考えられへん」。カリスマと呼ばれ、いい気になっていたあの頃、景色はいつも晴れていた。自分をファンタジスタに見せて仲間を増やそうとしたが、周りが全然見えていなかった。

人はポジティブなだけでは生きられない。売り上げが上がらず、悩んでいる後輩の話をちゃんと聞いてやるべきだった。

声帯萎縮症になっても「原因がストレスなら心を強く持てば大丈夫」と弱さを否定しようとした。でも体は正直だった。

すべては自分が成長するのに必要なプロセスだったのだろう。今では店のスタッフにも等身大の自分を見せることができる。強さを失っても、悪いことばかりじゃない。

10　母の病「神なんていない」　信仰捨て、取り戻した人生

坂根真実（さかねまみ）（宗教2世　46）

心を病んだ母は、自死の瀬戸際まで追い詰められていた。「どうして一生懸命信仰しているのに病気になるの。どうしてエホバはお母さんを助けてくれないの」。坂根真実が泣きながら口にしたのは、家族が長年信じてきた宗教の「神」の名だった。12年前のことだ。

「エホバの証人」の宗教2世の坂根は当時、信心を失いかけていた。母は信仰を続けていたが、身近な人が亡くなり、精神のバランスを崩した。「家族」のように親しくしてきたはずの信者仲間は母の異変に気付かず、病状は悪化していった。

人生で感じたことのない激しい怒りがわき上がってきた。「神なんていない。教団と縁を切り、私がお母さんを助ける」。入院中の母が退院できたのは、しばらくたってからだった。

◇大きな家族

生まれた直後から週3回、家族で教団の集会に参加した。当時通っていた東京都内の集会所には100人ほどの信者がいた。「ハルマゲドン（最終戦争）で信者だけが生き残り楽園で暮らす」

「信者以外はサタンの手先」と説く教義を学んだ。
誕生日やクリスマスなどのイベントは祝ってはならず、男女交際も制限された。「あれもダメ、これもダメと自由がない。考えさせないためだった」。規律を破り、むちで打たれたこともある。
母は信仰にのめり込み、坂根が7歳の時に両親は別居した。それでも、坂根にとって集会所の仲間は「大きな家族」のような存在だった。大人たちに見守られ、同じ年頃の子たちと兄弟のように遊んだ。11歳で洗礼を受けて正式な信者になった。高校卒業後は、母を喜ばせたくて布教活動に力を注いだ。母と教団の関係者が、世界の全てだった。

◇人間になれた

21歳で10歳上の男性信者と結婚したが、暴力に耐えられず4年で離婚した。29歳の時に別の信者と再婚。今度こそ幸せになるはずだった。

だが教団は原則として再婚を認めておらず、夫婦は除名処分に。処分を受ければ「サタン側に落ちた」とみなされ、信者は交流を禁止される。母にも友人にも会えない生活に、坂根は追い詰められていく。追い打ちを掛けるように夫の暴力も始まった。やせ細り、重度のアトピー性皮膚炎を発症した坂根は、病院に運び込まれた。

「身体的にも極限だったが、精神的な葛藤も相当ありそうだ」。当時診察した医師の上出良一(かみでりょういち)はそう察し、坂根に声をかけた。「何事も突き詰めずほどほどに。「中庸(ちゅうよう)」でいいんだよ」

教義以外の考えは全て悪という「白か黒か」の価値観で生きてきた坂根には、頭を殴られたような衝撃だった。穏やかな上出の語り口にも心を溶かされ、回復に向かった。

31歳で2度目の離婚が成立。その後母が倒れたことで、わずかに残っていた信仰心や組織への執着は断ち切った。2011年2月、34歳だった。

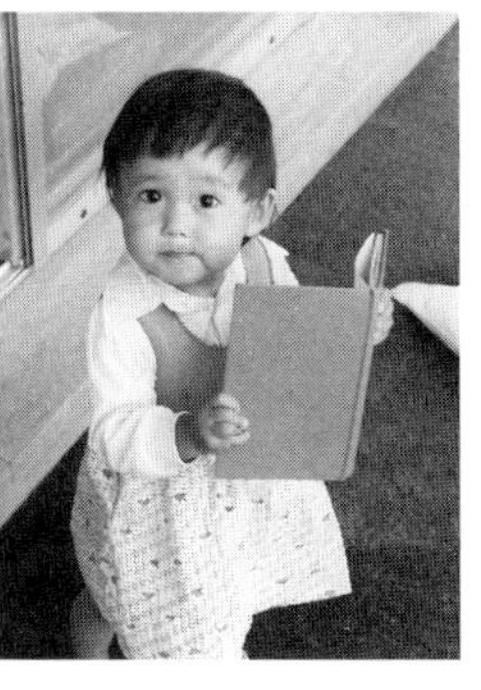

語学学校に通い、禁止されていた選挙では初の1票も投じた。「卵からかえったばかりのひなのよう。全てが刺激的で幸せそうな人たちと接して健康エキスを取り入れた」

教義に縛られず、何もかも自分で決める生活。「自分で考え動いている。私は生きている」。人間になれた、と感じた。

◇魚の捕り方

教団への信仰心をまだ失っていないころ、坂根は東京・表参道のビルに母とよく通った。母は、教団とは別に児童虐待やドメスティックバイオレンス(DV)被害者の支援団体で活動していた。「魚は捕ってあげないけど、捕る方法を教える」と宣言し、広報担当に坂根を据えて文章の書き方をたたき込んだ。研修会やシンポジウム、関係者との会議。活動に使ったこのビルで、師弟関係になった母子は長い時間を過ごした。

母も複雑な家庭環境に苦しみ、宗教を頼っていた。娘のDV被害に憤り、二度と同じ経験をさせまいと奔走した。「虐待やDVをなくすことには、彼女なりの正義があった」。坂根は信念を貫こうとする姿を尊敬したが、宗教から母が離れることはなかった。

母に認められたいと願い、母の言葉を支えに生きてきた。「希望を捨てないで」「真実ちゃんには、本人もまだ気付いていない大きな潜在能力がある」。2度目の離婚の際にもらったポストカードのメッセージを、苦しい時に何度も読み返した。

教団から離れた娘を許せない母は、今も戒律を守り交流を拒否している。「私がエホバにいるという「条件付きの愛」だった」。絶望と喪失感。「自慢の娘になりたかった」と涙を流し、親子関係を断ってまで宗教に依存する母の弱さを思った。

都内の公益財団法人で働く坂根は、これまで何度か母に手紙を書いてきた。離れていた時間を埋めるのは容易ではない。ただいつかまた、食事をしたり本音を言い合ったりできるようになりたい。互いがどんな信仰を持っていても。

（✎兼次　📷今里）

◉サタンの世界じゃなかった

教団では組織に従うことが社会貢献だと教えられました。コントロールされ、自分の足では立てない人間だったよね。でも、11歳での洗礼は本当に自分の意志だったのか。除名されたあなたを無視し排除するような組織は、人生に本当に必要なのか。今まで疑問に思わなかったことを、立ち止まって考えてみて。

見下していたはずの外の世界には、泣き言や悪口を言わず自立した人たちがたくさんいます。彼らから、人間的に学ぶことは多いです。教団が説く「信者以外を排除し信者を縛る愛」ではなく、愛とはもっと自由なものなんだと知ることもできました。サタンの世界なんかじゃなかったよ。

11 沖縄に向き合う「右翼」 自らの加害性出発点に

中村之菊（なかむらみどり）（右翼活動家 44）

スマートフォンの待ち受け画面には、「農魂」との力強い文字が浮かぶ。「土着のものを守る。大地を守る。それこそが保守の考えだと思うんだよね」。沖縄県東村（ひがしそん）の山中で、中村之菊は車からメガホンを取り出すと、肩にかけて歩き出した。その先にあるのは、米軍北部訓練場の入り口ゲートだ。

規制線ぎりぎりのところに立ち、訴える。「沖縄の人にとって、脅威なのは中国よりも米軍だ」。2016年、訓練場のヘリコプター離着陸帯（ヘリパッド）建設に反対するため現地を訪れて以来、この場に立つのは250回を上回る。

「沖縄の米軍基地を東京へ引き取る党」を立ち上げ、千葉県内に住みながら、多い時は年間で100日以上を沖縄で過ごしてきた。行動の原点は、18歳で加わった右翼団体での活動にある。

◇疑問と怒り

東京の下町、浅草で生まれ育った。高校を中退し、10代で出産を経験した。けんかや体罰など、暴力が身近な環境だった。その頃から政治に関心があり、シングルマザーとして育児に追われながらも、街頭演説があれば足を止め聞き入った。

最初に興味を抱いたのは共産党だった。だが、集会では「女性の権利」を口にする男性が、懇親会では上座に座って女性に配膳をさせる姿を見て、幻滅した。

一方で、右翼の主張と行動には「表裏がない」と感じた。「演説は乱暴だけど、自分にはスッと入ってきた」。右翼団体の門をたたき、戦闘服を着て街宣車に乗った。

そんなある日、沖縄出身の同い年の女性と話をした。「国土面積の1%にも満たない沖縄に、米軍施設の7割が集中している」。衝撃だった。沖縄の歴史や現状を知らない自分を恥じた。「自主国防」を掲げる右翼が、沖縄の米軍に目をつぶっていいのか。疑問と怒りが渦巻いた。

その思いを組織にぶつけた。沖縄に米軍基地が集中している現状に声を上げないのは、欺瞞ではないのか。独立の意味を問うべきではないのか。だが、反応は冷たかった。「女は黙っていればいいんだ」とも言われた。日米安全保障条約や米軍基地問題の資料を作っても、誰にも読まれない。逆に、そうした行動が問題視され、中村は団体から除名処分された。

◇おまえは左翼か

理解を示してくれた仲間と、16年に新たな政治団体「花瑛塾」を設立した。真の愛国を取り戻

そうと「愛国奪還」を掲げ、活動期間は5年に限定した。「何周年を祝うような惰性の組織にはしたくなかった」。活動の重点を沖縄に置き、基地反対運動に参加した。

右翼団体の知り合いからは「おまえは左翼になったのか」と、何度も聞かれた。「右翼であるなら、外国の軍隊が日本にいるのはおかしいと思うはず」。一方で、左翼活動家からは「右翼は出ていけ」との言葉を浴びせられた。

自分のやっていることは何なのか。自信をなくし、足元が揺らぎかけた時、本土に住む自分たちが沖縄に米軍基地を押し付けている加害性を、あらためて考えた。それならば、首都の東京が負担を引き受けるべきだとの思いが、22年の「引き取る党」の立ち上げにつながった。

同年の参院選では、東京選挙区から立候補した。貯金から供託金300万円を捻出し、軽自動車で都内を走り回った。結果は3043票。候補者34人中33番目で、供託金は没収された。

しかし、悲愴感はなかった。「3千人以上が主張を支持してくれた。それがうれしかった」。この数字は次につなげる起点になると受け止めた。

◇ひめゆりの碑で

自らが「右翼」であるとの看板を下ろすつもりはない。「右翼を名乗る人たちが、排外主義的なヘイトスピーチをまき散らしている。それは偽物で、自分のやってることが「本物の右翼」だってことを示したいから」

左翼からは「日本のどこからも基地はなくすべきだ」と批判され、右翼からは「国防を考えていない」とこき下ろされた。そのたびに「沖縄の米軍基地は東京でも引き受けるべきだ」と反論し、自分の考えを投げかける。かみ合わなくても、議論なしに話は先に進まない。「次の世代にこの問題を残したくない」という焦りのような気持ちが、行動を下支えする。

沖縄を訪れると、いつも足を運ぶ場所がある。糸満市の荒崎海岸にある「ひめゆり学徒散華の跡」の碑。沖縄戦で追いつめられた10人のひめゆり学徒が、手りゅう弾で自らの命を絶った場所だ。

「今も米軍の戦闘機が上空を飛んでいる。ただただ、彼女たちに申し訳ない気持ちで」。美しい海を見渡すように、海辺の岩場にひっそりと置かれた碑に向かい、じっと手を合わせる。

「右翼」としての活動をやめる気はない。でも、政治を動かすにはどうしたらいいのだろうか。「妥協ってものも必要なのかな」。その答えは、まだ見えていない。

（✎佐藤大　📷今里）

◉土から学べ

農業を始めたのは26歳の時。右翼団体の先輩は「食べ物は農家の汗水だ」と言っていたけれど、誰も農作業をしたことがなかった。「農家の苦労も知らずに、偉そうに語ることはできない」と思って、畑を借りてトマトやキュウリなどを栽培し始めた。収穫したものは、子ども食堂や海外からの技能実習生たちに無償で提供してきた。

野菜は成長するに従って色や形を変えていく。その姿を通して、大地の恵みという言葉の重みを学ぶはずだ。足元の土を知ることは、自分の生まれた場所や、住んでいる国を知るのと同じこと。それが「日本を守る」ということの、本当の意味なんだと気付くだろう。

12 反発と執着、引き合う心　「世界旅しろ」の言葉胸に

伊東優（いとうゆう）（建築士　36）

風花が舞う冬木立の奥に月山（がっさん）（1984メートル）がそびえる。山形県の霊峰に、長崎市生まれの伊東優は、ひと目見て心を打たれた。2016年冬、移住体験で山麓の西川町大井沢を訪れた。この地に羅針盤のようにいざなってくれたのは、皮肉にも家庭を捨てた父だった。

◇沈黙

伊東が小学6年生の時、一家は長崎市から雲仙（うんぜん）・普賢岳（ふげんだけ）のふもとに引っ越した。父が著名な建築家に設計を依頼した家。敷地の林は父が自らチェーンソーで切り倒した。伊東も何度も連れられてその手伝いをした。「一から土地を切り開き、自分の居場所を求める姿に刺激を受けた」

父は長崎市で経営する塾をやめ、新居のそばに自分で設計したカフェを始めた。陽光に木の葉がきらめき、せせらぎが聞こえる。しかし、カフェの客足は伸びず、建築費用を含む借金は抜き差しならなくなった。伊東は母、2人の弟と長崎市の祖母の家に身を寄せた。

母はパートの仕事で苦しい家計を支えた。参考書を買いたくても、母に言うのは気が引けた。

金銭的援助を全くしてくれない父に、もやもやした感情が募る。そうした状況の中でも伊東は東京大に合格し、経済的な理由で学費は免除された。

上京する前に、1人で暮らす父と会った。合格を伝えても、ほめ言葉は一切なかった。逆に「休学して世界を旅したらどうだ」と水を向けてきた。ジャーナリストのように、見知らぬ世界に飛び込むのが夢だった伊東は、自分の心を見透かされているように感じた。2人の間に沈黙が漂った。

なぜだか、むきになって言い返した。「だったら金くれよ」

◇放浪

父はその後、借金で逃げるように理想の家を手放した。伊東は大学で建築と都市について学び、とりわけ道に興味があった。卒業論文は東海道の歴史がテーマで、次第にシルクロードに憧れる。「悠久の歴史と、多様な民族、文化、風土を育んでいる」と実際に訪れたくなった。

大学院時代にオランダの設計事務所で半年間修業した帰り、自転車でシルクロードを横断することにした。仲の良い祖母から生前「世界の美しい所に骨を埋めて」と頼まれたのも背中を押した。オランダから中国・上海まで1年以上かけ約1万7千キロ。野宿や民家に泊まる貧乏旅だった。

帰国後、東京の建築設計事務所に就職した。その頃、大学の恩師で画家の木下晋(きのしたすすむ)が描いた湯殿(ゆどの)山注連寺(さんちゅうれんじ)(山形県鶴岡市)の天井画を見に行った。作家の森敦(もりあつし)が『月山』を執筆した場所と知り、その本を読んだ。幽玄な世界観に魅了された。

「月山、湯殿山、羽黒山の出羽三山が祖母の遺骨を埋めたキルギスの山々と似ていた」。どちらも深い渓谷を分け入ると温泉があった。

建築設計事務所を辞め、1級建築士として独立。東京と山形で住まいと仕事を探し始めた。

◇家族写真

父との微妙な関係は仕事で独立してからも変わらなかった。父は母と離婚し、沖縄で生活保護を受けていた。15年、いとこから居場所を聞き、那覇市の居酒屋で父と杯を重ねたことがある。「貧乏だったけど、それが人生のバネになった」。やりとりの中でつい口にすると、父は怒って席を立ってしまった。プライドを傷つけたかもしれないと思った。

建築設計の仕事が軌道に乗り始めた頃、父を手助けしたい気持ちが芽生えた。電話すると、父は「おまえは30歳にもなって、建築家として名前が売れていない。俺に電話する暇があったら仕事しろ」とまくしたてた。伊東は「あんたに言われたくない」と心の中でつぶやいたが、父の言う通りだとも思った。

「世界を旅しろ」という父の教えの通りに歩んだつもりはない。気がつけばシルクロードを走り、その道の先に月山があった。磁石の同じ極のように決して合わさらないが、自分がこれだと思って執着するところは異常なまでに似ている。

伊東は結婚し、子ども2人を授かった。月山が眺望できる西川町大井沢の古民家を譲り受け、移り住むことになった。町の公共施設の設計も手がけるようになった。

しかし、不安も頭をかすめる。父は結局、家族を捨てる選択をした。「父と似ている自分が幸せな家庭をつくれるのか」とためらう時もある。

父は3年前、那覇市の病院で息を引き取った。享年62歳。病死だった。

理想とした家を手放し、沖縄に行った父。伊東は「世界を旅しろ」の言葉は、父自身の願望の投影だと感じる。「自分の夢や理想を私に託したのかもしれない。思い通りにならない焦燥感(しょうそうかん)から放たれた言葉」と推し量る。

父のアパートで遺品を整理すると、雲仙・普賢岳の家で撮影した家族写真が見つかった。伊東は父の遺骨を東京の自宅に置き、墓には入れていない。その存在を、まだ消化できずにいる。

（✎志田　📷京極）

◉理想追求、自分と重なる

父が普段、何を考えていたか。口舌な人ではなかったので、中学生の自分には、なかなか理解できなかった。家庭もぎくしゃくしていたし。

父が雲仙・普賢岳の家を飛び出した後、部屋に残されていた段ボール箱から長崎のタウン誌が見つかった。父はインタビューを受け、元々は作家志望で暗い内面を描く純文学を志向していたと語っている。特に「人が驚くようなオリジナリティー」にこだわっていた。

理想を追求するところが自分と重なる。人生に成功とか失敗は関係ない。大切なのは自分がやりたいことを、とことんやること。父は、そういう姿を背中で見せようとしていたのかもしれない。

13

一緒に前を向けなかった　娘の死、妻を置き去りに

斎藤無冥（さいとうむみょう）（僧侶　58）

娘は生後100日でこの世を去った。斎藤無冥にはその時の記憶が欠けている。息を引き取った瞬間から、思い出す景色は真っ白で、どうやって家に帰ったのかも分からない。ただ、小さな亡きがらに優しく声をかけ続ける妻の表情だけは覚えている。数カ月後、斎藤はその妻を置き去りにして家を出た。

◇勝ち組

ボディーボードを通じ、宮城県の海岸で2人は出会った。妻は12歳年下で、実家は裕福な畜産農家。2000年6月に婿入りした。妻は美容師の免許を取って働き、農業者として研修を始めた自分は、妻の実家で後継者として大事にされた。「人生左うちわ。勝ち組だ」。そう確信していた。

新婚旅行から帰ってすぐに妊娠が分かり、娘と知って小躍りした。だが出産の2カ月前、精密検査で「18トリソミー」という染色体異常が判明した。おなかがどんどん大きくなるのを無邪気に喜んでいたが、後に羊水が多くなりがちな、病気特有のものだと知った。

2人で何日も泣き続けた。ネット検索で「長生きする子もいる」という情報に希望を見いだしては「俺らの子だから強いはず」と励まし合った。

01年4月17日に誕生したが、チューブを通してミルクを飲ませても体重が増えない。わずかに増えると歓喜し、また減ると落胆する日々だった。

生後100日を祝うお食い初め(くいぞめ)をした日。入院先の病院で親族らが解散した直後、娘の容体は急変した。酸素濃度がみるみる低下し、わずか1時間後に息を引き取った。

◇離婚届

葬儀までは気丈に振る舞ったが、終わると娘のビデオを見ながら2人で涙を流した。同じ時期に妻の姉が男の子を産み、実家に連れてきていた。妻は機会を見つけては「私がおっぱいをあげる」と言ってあやした。その様子を直視することができなかった。

娘の死から3カ月ほどたち、妻は再び美容室で働き始めた。しかし、自分の方は時間が止まったままだった。妻は次の子を欲しがったが、それは受け入れられなかった。

葬儀の準備中、義理の祖父は「この子はうちの敷居をまたいでいない。一番安いのでいい」と寺の住職に言い放った。

斎藤はぐっとこらえ、感情を表には出さなかった。妻の実家には、愚痴や弱音を吐いてはいけない田舎特有の雰囲気があった。そこで弱みを見せたくなかった。

妻との会話も、当たり障りのないものになった。苦悩を打ち明けようとはせず、妻が何を考えているのか真剣に耳を傾けようともしなかった。いつも自分の言いなりになる妻を見て、すべては思い通りにすればいいと思い込んでいた。

ある時、自分の中で何かがはじけた。「出て行く」。妻は泣きながら「私も連れて行って」とすがったが、「おまえの顔を見るとこの家のことを思い出す」と突き放した。一家への怒りで頭がいっぱいだった。

県内にある実家に戻り、娘のために飼い始めた羊の世話をして時間をつぶした。妻からはたまに近況を知らせるメールが届いたが、もう終わりだと考えていた。ある晩、妻のもとを訪れ「出しておけ」と離婚届を置いて帰った。

それでもメールのやりとりは続いた。「今度、同級生の飲み会があるんだ」。「いいじゃん。楽しんで」。そしてある日、妻が現れた。「仲のいい人がいる」。「あなたに会いたいと言ってる」。斎藤は「そんなのいいよ」と拒否した。「再婚したいんだよね」。そう告げられた。

◇過去帳

離婚後は知人のつてを頼り、違法風俗店で働いた。もうどうなってもいいと思っていた。何度か自殺を試みたが「もし生き残ったら大変だな」と覚悟が定まらない。本気でないことは、自分が一番よく分かっていた。

07年春、店が摘発され逮捕された。考える時間があり余っていた留置場で、娘の供養をきちんとしていないと気付いた。

実家の菩提寺に頼み込み、43歳で掃除やお経を読む修行を始めた。ある日、檀家の法名や享年などを記した「過去帳」を見つけ、はっとした。

「こんなにも子どもを亡くした人がいるのか」。そう考えると、なぜか妻への罪悪感が押し寄せてきた。「何度も検査され、おなかを痛めて産んだ娘を失って苦しまなかったはずがない」

妻はきっと、このままでは共倒れになると分かっていたのだろう。

前を向こうとする妻を見て、自分は取り残される気がした。次の子が生まれれば、娘の存在が忘れられてしまう恐怖もあった。だが、妻を突き放す必要はなかった。苦しいからこそ話をして「待ってよ」と言えばよかった。

斎藤は今、実家で僧侶をしながら過ごしている。過去を隠さない姿を見て、多くの人が悩みを相談しに訪れるようになった。「同じような過ちを犯してほしくない」。あの時の後悔は、今も自分を許してくれない。

（✎宮本 📷堀）

◉逃げてばかりのままなのか

逃げてばかりの人生だな。ボディーボードに夢中になって大学を中退し、怒りにまかせて家族を捨てた。農業も中途半端なまま放り出し、しまいには自分の命までないがしろにしようとする。どこまでも自分勝手な男だ。

「婿養子でいいよ」と妻に伝えた時、ほっとしたような笑みを見せた。男兄弟がおらず、実家の家業を継ぐめどが立って、きっとうれしかったはずだ。その家に妻を置き去りにした。普段は見せない涙を見せ、「連れて行って」とすがる切実な思いに、なぜ気付いてやれなかったのか。

そんな器量、急に身に付くはずなんてないか。悲しいけど知ってるよ。だから悔しいんだ。

2

見つめる、伝える

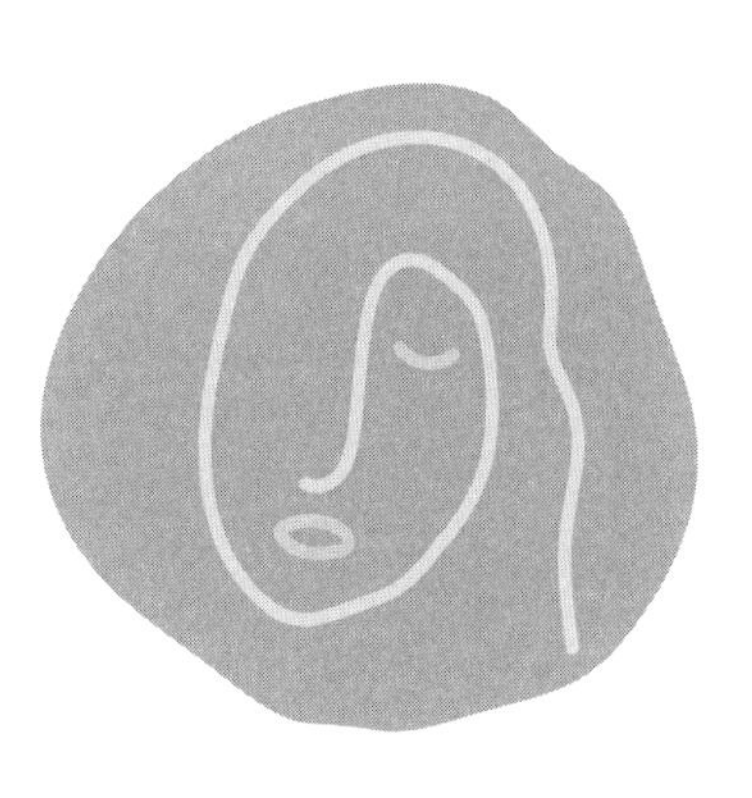

14 絵に導かれ外の世界へ　場面緘黙、海に癒やされ

三上真穂（大学院生　24）

いつも心の中には海があった。部屋いっぱいに広がるキャンバスは三上真穂の体よりずっと大きい。暗い青の中に原色が散り、打ち寄せる波が描き込まれている。「地元の、種差海岸の海です」と穏やかな声で話す。美術大の卒業制作として、自身の心象風景を描いた絵には「洞然」と名付けた。

幼い頃から、学校など特定の場面になると話すことができなくなる「場面緘黙」と向き合う中、いつも心を癒やしてくれたのが海だった。

◆暗闇

話せなくなったのは小学校に上がった頃から少しずつ。はっきりした理由はわからない。けれど自分の内面を暴かれる恐怖を常に抱えていた。「声の出し方が分からなくなるというか、動かなくなるというか」。外では話すことも、笑うこともできなかった。2008年、母に連れられて行った病院で、場面緘黙と診断された。

唯一自分を表現する手段は絵だった。「何描いているの？」。教室の隅で絵を描いていると時々同級生が声をかけてくれた。返事はできず、うなずくのもやっとだったが、うれしかった。一方で「話さなくていいなんてずるい」「感情がないの」とからかわれる。話したいのに、その苦しさを伝えることもできない。6年生の頃から学校に行けなくなり、引きこもりがちになった。

毎朝出かけていく家族を見るたび罪悪感が募る。「学校、行きなよ」。2歳下の妹の心配も素直に受け取ることができなかった。わかってるよ。でも、できないんだよ。

悩みが募るにつれ、家族との会話も苦しくなっていった。誰ともつながれず、自分だけ世界から切り離されているようだった。「自分の存在って、何なんだろう」。ふさぎ込んだ気持ちを吐き出すように、誰にも見せない絵を描き続けた。この先どうなってしまうんだろう。何も見えない。未来は真っ暗闇だった。

◇海へ

「母は葛藤していたと思う」。娘が学校に行けないこと、話せないこと。けれど理解しようと努力し、寄り添ってくれた。

自然が好きな母はいつも、車で外へと連れ出してくれた。だが人目が怖くて車から降りられないことも。牧場を訪れたとき母は1人で車を降り、しばらくして馬を引き連れて戻ってきた。窓

を開け、鼻先に触れた。気持ちがほぐれていった。特に好きな場所は海だった。岩場に上って遠い水平線を眺めたり、波打ち際を歩いたり。渦巻いていた悩みも広い海に吸い込まれていくようで、いつも苦しみを癒やしてくれた。

家族にしか会わない期間は4年ほど続いた。「でも、このままじゃまずい」。いざ人とのつながりがなくなると、生きている実感がない。沈んだ気持ちも回復してきた。

「高校、行くぞ」。大好きな絵を学べる高校に入学。声はまだ戻ってこなかったが、本格的に絵を学び世界はどんどん広がった。絵を評価される時、話せないことは不利にならなかった。周囲も受け入れてくれた。「自分の特性とどう付き合っていくか、考えていけばいいよ」。担任の先生の言葉に、できない自分を責め続けていた気持ちが少し軽くなった。「話せなくても、私はいていいんだ」

◆伝える

初めて話すことができたのは、いつも助けてくれた2人の友人。話す恐怖より「ありがとう」を言葉にできない苦しさがずっと心に残っていた。卒業後に映画を見に出かけた帰り道、「これが最後のチャンス」と勇気を出して3年間の感謝を口にした。1人は泣いて喜んでくれ、もう1人はうなずきながら聞いてくれた。どちらの気持ちもうれしかった。

小さな成功をきっかけに少しずつ話せるようになった。進学した秋田市の美大でも「普通の子」として扱われる。夢を見ているようだった。他者に心を開けるようにもなり、場面緘黙のことも打ち明けるようになった。「おとなしいだけじゃないと思ってたんだよね」。自分の言葉で伝えたことを、受け止めてもらえることがうれしかった。

それまでの経験を通して、卒業制作で大切にしたのは「自分のことを癒やす」というテーマ。巨大なキャンバスに、心の奥深い場所にある風景を描き上げた。そこには大好きな海もあった。洞然の意味は、深く抜け通って静かであるさま。心はいつもさまざまな感情を生むが、一番深い部分はいつも静かだと気づいた。「現実に翻弄(ほんろう)されている時も、そこに立ち戻れたら」と決意を込めた。

現在は新潟県の大学院に通い、来年度からは地元の青森で中学校の先生になる。うまく話せる日も、そうじゃない日もある。でも「自分のそのままを人に伝えてみるっていうのが、今一番できてうれしいこと」。暗闇だった未来に今は、希望があふれている。

（✎上田　📷今里）

◉存在するだけで美しい

話せないけど、ずっと話したかったんだよね。皆が当たり前にできていることがどうしてもできない自分が許せないんでしょう。周りの人は励ましてくれるけど「こんなんじゃダメだ」って自分を認めることができないんだよね。

でもあなたはずっと、十分すぎるくらい頑張っているよ。誰かの役に立たなきゃ、いちゃいけないって思い込んでいたけれど、誰もが存在するだけで素晴らしくて美しいんだって今は思える。あなたの苦しみは、時間をかけてあなたの優しさになるよ。今は何も見えないかもしれないけれど、急がなくても大丈夫。準備ができたら外の世界に出てみよう。

15 「あれはドラマですから」　沈黙14年、ほどけた心

加藤浩美（写真家　58）

場面が進むにつれ、違和感が募っていく。1999年にダウン症の息子、秋雪（あきゆき）を亡くした写真家の加藤浩美は、それから5年後、息子を主人公にしたドラマの完成試写会に臨んでいた。「これは本当に秋雪の物語なんだろうか」。脚色された内容に戸惑った。

数歩歩くのがやっとだった病気の息子が、画面の中では走っている。母親が将来を悲観して入水自殺を図るシーンには、さすがに腹が立った。子どもを残して自分が命を絶つわけがないだろう。

家族の真の姿が、人の手でねじ曲げられたように感じられ苦しかった。でも自分が批判的な言動をすれば、ドラマに関わってくれた人たちは傷つくかもしれない。以来、何を聞かれても「あれはドラマですから」としか語らなくなった。

◇1万枚の写真

92年秋に生まれた秋雪は、心内膜床欠損症を伴うダウン症で「余命1年」と診断された。生後

1カ月のことだ。飲む力が弱く、ミルクを吸うと全力疾走した後のように汗をかいた。不安と隣り合わせだったが、つかまり立ちができるようになり、立ち上がり、そして7歩歩けるようになった。

息子の生きた証しを残したいと思い、亡くなる99年1月までに1万枚の写真を撮った。4年後には写真入りの手記『たったひとつのたからもの』を出版。息子の写真はCMにも使われ、大きな話題を呼んだ。

自著を通じて訴えたい思いがあった。同じダウン症児でも、他に重い病気を抱えている子と元気な子では育て方が違う。同じような境遇の人たちに、少しでも参考になればと考えた。

6年間にわたる家族3人の濃密な日々が伝われば、秋雪の人生は短くはなかったと感じてもらえると思った。

ドラマ化を承諾した際、原作が脚色されることは頭では理解していた。しかし実際に映像に向き合うと、心がかき乱され、どうにも整理がつかなくなった。

秋雪役は、年代順に3人のダウン症児が懸命に演じてくれた。多くの関係者が良い作品にしようと努力し、視聴率も30％を超えた。そうした経緯を知るだけに「自分さえ黙っていればいい」と喜怒哀楽を表に出せなくなってしまった。

わが子を失ってから、ずっと拭えない感情があった。「この喪失感や苦しみは、結局のところ他人には分かってもらえない」。ドラマはその象徴的な存在として、自分を縛ることになった。

© 加藤浩美

◇撮影仲間

秋雪は96年春、自宅にほど近い埼玉県桶川市の「いずみの学園」に入園した。障害のある子らを受け入れており、保育士や保護者も一緒になって成長を見守ってくれた。

秋雪が亡くなった後も関係は続き、園の様子をボランティアで撮るのが日常になった。しかし時の経過とともに秋雪を知る人はいなくなり、園児の写真撮影に抵抗を示す保護者も現れた。

秋雪の思い出が詰まった大切な園とも次第に疎遠になり、加藤は社会との大きな接点を失った。

被写体を求めて、各地に車を走らせた。特に思い入れが強かったのは、秋雪と夫をツーショットに収めた茨城県の大洗海岸の風景だ。

撮影は1人で行くことが多かったが、自分の本を読んでくれた同年代の女性と知り合いカメラ仲間になった。秋雪が取り持ってくれた縁だった。

片道約3時間かかる車の道のりは、気の合う相手でないと間が持たない。いつも他人の出方をうかがうようになっていた自分とは正反対に、女性は気軽に間合いを飛び越えてきた。その遠慮のなさが心地よかった。

「今は園の撮影に行くのがつらい」と正直に打ち明けると、彼女は「嫌ならやめちゃえば」ときっぱり言い放った。迷いを見透かし、同時にそっと背中を押してくれる。「もっと人に弱音を吐いてもいいのかも」。身内には言えない話でも、彼女には何でも相談することができた。

◇穏やかな心

2018年秋、京都司法書士会の座談会にゲストで呼ばれた。小さな部屋に参加者は4人。和やかな雰囲気の中、子を持つ母親に秋雪の子育てについて語った。話題はドラマにも及んだ。

「実は私はあのドラマには引っかかりがあります。とてもつらかった」

わずか4人の前だったが、公の場で14年間の沈黙を破った。墓場まで持って行くと決めていたのに、素直に本心を口にすることができた。

参加者の母親は「ドラマを見た後に本を読んでくれた人もいたんでしょ。分かる人には分かってもらえるから大丈夫」と温かく応じてくれた。

「かたくなに語らないと決めつける必要はなかった。受け止めてくれる人はちゃんといる」。でも、それが分かるには長い時間が必要だった。

最近になり、撮りためた写真の整理を始めた。シャッターを切る瞬間に封じ込めた感情を、秋雪の表情とともに思い出す。深夜まで没頭すると、穏やかな心が戻ってくる。


（✎名古谷　📷今里）

◉助けてもらえばいい

自分の殻に閉じこもって下を向いていませんか。今は心に余裕がなくても、あなたを理解し、支えてくれる人がきっと現れます。人生大抵のことは何とかなるし、ならない時は誰かに助けてもらえばいい。人より遠回りをするかもしれないけど、いつかそれが分かる日が来ます。

秋雪を撮り続けたフィルムカメラは30年以上たった今も現役を続けています。苦楽をともにし、ふさぎ込んだ気持ちを前に向けてくれました。私の人生のステージも、シャッターを切り続けた日々から、写真を整理する時期へと変わりつつあります。次に秋雪に会える時には「自分もちゃんと生きたよ」と伝えたい。

16 もう記者は続けられない　イチローと対峙した5年間

浮田圭一郎（高校教師　45）

2011年秋、米大リーグでイチロー（マリナーズなど）が10年間続けてきたシーズン200安打が途切れた。スポーツ紙のイチロー番記者だった浮田圭一郎は苦悩していた。応援したいのに、自らの記事でそれを表現することができない。このままでは「憧れを超えた存在」をおとしめることにならないか。

かつては自身も大リーガーを目指し、夢破れた。新たな挑戦の場に選んだ記者の仕事も、終わりを告げようとしていた。

◇洗礼

屈強な選手の鋭い打球が、瞬く間にスタンドに突き刺さる。衛星放送の中継を見た小学6年生の浮田はメジャーリーグのとりこになった。

中学から英会話教室に通った。甲子園に出場経験があり、英語教育も盛んな岡山城東高から成城大へと進んだ。野球部では、いずれも主軸を担った。大リーガーになる準備を進め、01年2月にミネソタ・ツインズとマイナー契約を結んだ。

卒業式を待たずに渡米したが、待っていたのはマイナーリーグの洗礼だった。練習は朝5時から夕方5時まで。食事や季候の違いにも苦しんだ。得意の打撃は歯が立たず、利き腕の右肘も痛めた。数試合に出場しただけの4月、チームから放出された。米独立リーグなどを渡り歩いたが、翌年8月に再び解雇された。

「手ぶらで日本には帰れない」。選手の道は閉ざされたが、現地の大学で語学やスポーツマネジメントを学び、大リーグに携わる方法を探った。

ロサンゼルス・ドジャースの通訳に採用されることになり、斎藤隆(さいとうたかし)投手に同行する機会を得た。達成感は得られたものの「選手の気持ちが分かる自分だからこそ、その思いを引き出して表現したい」と強く感じるようになった。スポーツ紙がイチロー担当の記者を探していると知り、07年から「番記者」となった。

◇慢心

自らに厳しく、高貴。子どもの頃から憧れたスター選手への取材は、緊張感に満ちていた。的を射た質問でなければ「次の方」と流されてしまう。常に「100点」を求められているような空気に〝戦場〟を感じた。

あらゆる視点で彼のプレーを追った。マッサージを受ける回数や、打撃用手袋の色の違いなどにも注目し「体調や心境にどんな変化があったのか」と頭を巡らせた。

しかし、簡単にはいかない。「なぜネタが取れないんだ」と上司に叱られることも多かった。ただ選手時代と同じく、人生を懸けている心地がした。「生きるか死ぬか、この感覚だ」。自分が憧れた舞台で活躍するイチローと対峙(たいじ)する日々は、厳しくも充実していた。

核心を突けるようになったのは、記者2年目のころ。1打席目に空振りした球を、2打席目で簡単に打ち返した理由を尋ねた。「名前は?」と聞かれ、答えると「浮田君、光ってるね」。ようやくイチローの視界に入ったと感じた。関係が始まった瞬間だった。

次第に距離は縮まり、翌年のオフシーズンには、単独のロングインタビューにも成功した。読者からの反響も良かった。真剣勝負の中で、イチローが自分を育ててくれている感覚があった。原稿を書くのが面白くなっていた。関係は深まっていったが、どこかに慢心が生まれ始めていた。

◇信頼

10年のシーズン後半だった。イチローの不振が続く中、各社は気を遣い、取材を自重していた。浮田は使命感に駆られ、各社を代表する形でコメントを取りに行った。準備は十分ではなかった。

何を尋ねたかはよく覚えていない。イチローは「伸び悩んだね」と一言、背中越しに答えた。「新聞紙面を埋めるためだけの取材をしてしまった」。信頼を台無しにした安易な仕事を恥じた。

残り試合は、取材を自粛した。シーズン最終日に「もう一度チャンスを」と訴えた。「まあ、がんばって」。返事は一言だった。口元には笑みが見えた。首の皮一枚つながった心地がした。

翌11年、イチローは極度の不振に陥る。原因を分析する他社の記事は臆測にまみれたものばかり。同じような内容の記事を会社に要求されたが、加担しなかった。

多くの人の期待に応えるため、欠かすことなく入念に準備し、野球に向き合うイチローの姿を追い続けてきた。選手時代の自分がいかに未熟だったかを痛感させられた。憧れとともに「まるで部活の先輩」のような尊敬と親しみを感じていた。

目の前の事象だけでなく、彼の背中を押すような記事を書きたい。だが、自分の伝えたい形で紙面になることはなかった。

もう、記者の仕事は続けられないと思い、その年限りで筆をおいた。

帰国後は英語力を生かし、興味のあった教育の現場に情熱を注ぐと決めた。15年に教員免許を取り、地元岡山の高校教諭となった。「他者を本気で理解しようと努めることが大事だと学んだ」。折に触れ、米国での経験を子どもらに伝えている。

（✎間庭 📷今里）

◉あがいた日々が礎に

あの時は本当のイチローファンになっていたな。自分なりの正義を貫いた結果、会社を辞めざるを得なくなったのは残念だったけど、いま同じ境遇に直面しても、きっと同じ選択をするだろう。

記者をやめて帰国する前、米国でイチローさんから食事に誘われた。「トータルでは、まあ良かったんじゃない」とねぎらわれ、少しうれしかった。何とか及第点をもらえたんだろうか。「記者としてもっと力になりたかった」と後ろ髪を引かれたのを覚えている。

イチローさんの考えを引き出そうとあがいた日々は、自分の礎になっている。誰かの苦悩に寄り添えるのは、幸せなことだと感じる。

17 あなたの分身じゃない　母との葛藤、もがく日々

中嶋悠紀子（演劇家　39）

薄暗い舞台に2人の女性。1人は座ってピアノを弾くしぐさ、もう1人はその様子を背後から見ている。役柄は娘と母だ。「もう一回やり直し」。母の言葉に、娘が半泣きの声で応じる。「お母さん、もうやめよう」

「だめよ、お母さんはね、何か一番になれるものを身に付けさせてあげたいのよ。さあ、できるまでやりなさい」「私は一番じゃなくてもいいよ」。母の声が怒気をはらむ。「聞き分けの悪い子ね。弾けるようになるまで、そこにいなさい」

去って行く母。「ちょっと、お母さん、出して、出してってば」。娘の悲痛な叫びが、がらんとした空間に響き渡る。

2018年4月、大阪市で上演された「シルバー・ニア・ファミリー」。大阪府東大阪市を拠点とする劇団「プラズマみかん」の公演だ。娘を演じていたのは、作・演出を手がけた劇団代表の中嶋悠紀子。高齢者問題や親子関係のゆがみを描いたこの作品には、個人的な体験が色濃く投影されていた。

◇ピアノと居場所

中嶋は2歳でピアノを始めた。教えたのは、自宅で教室を開いていた母だ。やりたかったわけではない。「先生の娘やから、人より上手に弾けないと」。そう思って練習を続けた。4歳の頃、七夕で将来の夢を短冊に書いた。魔法使いサリーになりたかったが、母は「ピアニストになりたいと書きなさい」。

書くと、周囲が「さすが、先生の娘さんやねえ」と感心し母も喜んだ。だから母の目があるところでは「ピアニストになれますように」。本当に願ったのは「うその夢はかないませんように」。

母は「女は手に職をつけなさい」と繰り返した。それがピアノだった。音楽に親しむのではなく、職業人にするために課した厳しい練習。母が思い描く人生プランから外れることは許されない。

ピアノの練習が好きではなかった。けんかが絶えず、よく泣いて抵抗した。2階の窓から楽譜を投げられ、外に出されたこと、練習室に閉じ込められたことも。

ただ、愛は感じた。自分を大事に思っている気持ちも分かる。母はよく言った。「あんたは私の分身やから」。でも、気持ちを分かろうとはしてくれない。父は口を挟まず、ピアノを弾いていないと、この家に私の居場所はない。

中学3年の時、友達の言葉に衝撃を受けた。「私、ピアノが大好き。1日7時間でも8時間でも弾いていられる」。絶対、自分には無理だ。私はピアノが好きじゃない。「こういう子と勝負できない」。味わったのは大きな挫折感だった。

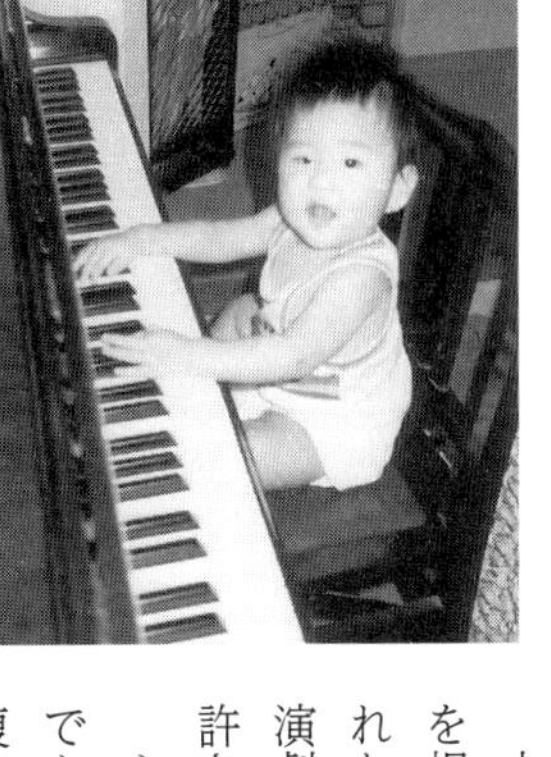

◇物語を作る

小さな頃から物語が好きだった。布団の中でぬいぐるみを相手にお話を作った。追い詰められていく心を救ってくれたのは吉本新喜劇。舞台女優に憧れた。高校でようやく演劇部へ。ピアノの練習を欠かさないことを条件に入部が許された。

やはり演劇は面白かった。「これなら7時間でも8時間でも大丈夫」。あまりに楽しく、約束が守れない。ここで腹をくくるしかない。意を決してピアノをやめると告げた。

母は「何時に帰ってきても、練習すると約束したやんか」と責めたが、決意が固いことを知ると、その場で泣き崩れた。

大学では演劇を専攻し、06年にプラズマみかんを立ち上げた。もがきながら作品を作ってきたが、いろいろな人と接し「自分の抱えている生きづらさは特別ではない」と分かった。誰でも違う形のしんどさがある。自分も別のものを抱えたかもしれない。みんなの生きづらさは、演劇という手法で共有できる。そんな思いが中嶋の作品には流れる。

◇自分を切り刻む

ある日、演劇仲間が「もし母親が倒れたら芝居をやめて実家に帰る」と話した。中嶋は考えた。自分にそれはできないかもしれない。でも母を捨てることもできない。

そこで気付いた。母を幸せにしてあげられなかったという罪の意識が今も残っている。それで作ったのが「シルバー・ニア・ファミリー」だった。「自分を切り刻むような創作。つらくて心に負担がかかって」。ただ、自分にとって大切な「舞台」という形で問わずにはいられなかった。

派遣社員として働きながら演劇を続けてきた。家を出て結婚した後も母とは衝突した。感情が爆発し「あのつらかった時間を返してほしい」と手紙でぶつけたことも。

母から「子どもを産んだことがないから親の気持ちが分からない」と言われたことがある。今年、中嶋に長女が生まれて反発心が頭をもたげた。「娘が望んでいるかどうか、なんとなく分かる。私がピアノに乗り気じゃないのは分かっていたはずなのに」

母は「あんたは私の分身」だと言ったが、私はこの子を分身だとは思わない。とても近くにいるけど、他者だ。私も母の分身じゃない。

（✎西出　📷今里）

◉人生はあの日に開いた

高校で演劇部に入り、ずっと芝居がしたかったから本当に楽しくて。あの日、ついに「ピアノをやめる」と母に宣言した。きついことも言われたし、最後は号泣されたけど、あそこで決断しなかったら、自分の人生は絶対に開かれなかった。

あの後、音楽から離れた。でも、小劇場の公演でクラシックのピアノ曲を聞いた時、ああ、ピアノの音ってこんなにきれいなんだと驚いた。衝撃だった。自分が弾くピアノには全く気持ちが乗っていなかったんだって、よく分かったよ。

だから決断は正しかった。ただ、母との葛藤は解消されていなくて、うっすらした罪悪感もある。終わったわけじゃない。

18

可能性なんてなかった　芸大を出て現代美術家に

松田修（現代美術家　44）

京阪神の人の間では、その地名は独特のニュアンスを持って口に上る。兵庫県尼崎市。「あま」と呼ばれることもある。いろんな地区があって、今は様変わりしているのに、貧しい家が多くて柄が悪いというイメージが濃い。ダウンタウンの松本人志と浜田雅功が生まれ育った町でもある。

現代美術家の松田修は1979年、同市のかんなみ新地という古くからある風俗街近くで生まれた。尼崎の中でも最もディープなエリア。松田はその貧困地域をあえて〝スラム〟と呼ぶ。

◇諦め

父親は「一度も働いたことがない」というのが自慢の遊び人。小さなスナックを経営する母親が家計を支えた。家は貧しく、兄弟3人で薄切りハムを1枚ずつ分け合う日も。だが周りはそんな家ばかりだったから、気にはならなかった。

小学生の頃、自転車で探検に出た。行き先は芦屋市。言うまでもなく尼崎と対極にある高級住宅街だ。大きなお屋敷が並び、小型犬を抱っこして散歩している人や、上品な着物姿を見た。「なんやねんこれは」。感じたのは「巨大な劣等感」だった。自分がこの先どう頑張っても、一生覆ることのないであろう、今で言うなら貧困の連鎖。その理不尽な差に怒りを覚えた。そして、何かを諦めた。

勉強も運動も、する意味があるとは思えない。不良ではなかったが、教師に「ニヒルな子」と言われるくらいさめていた。「現実的というか、夢を諦めるのが早かったんでしょうね」

自分の未来が明るいものになるような気はまったくしなかった。だが「ここからはい上がってやる」というような根性物語にもならない。社会の矛盾になど気付かず、ただ現状を甘受する人々。そんな町にどっぷりと漬かって成長した。

暴力が横行し、大人が子どもから金をゆするような場所では「普通の倫理観は育たない」と松田は振り返る。中学の時には2度、鑑別所に入った。

◇東京へ

高校からは家を出て、アルバイトで学費と生活費を稼いだ。未来の可能性などこれっぽちも信じていなかった。なにより選択肢がなかった。うんと頑張って売れっ子ホストになるか、バーテンダーになるか。そんなことをぼんやり考えていた。

厳しい現実を自虐的に笑って生き延びている人々への愛着はあった。それはそれで楽しそうだ。夢はないまでも、自分もそこそこ楽しめればいいか、と。だがそんな停滞感や、町につきまとう貧困や暴力への嫌悪感は募る。「嫌で嫌で仕方なかった」。4年かけて高校を卒業した後、友人に誘われて東京に出た。

その後、東京芸術大絵画科油画専攻に進学、という経歴を聞くと誰もが驚く。「大学?」「芸術?」という地元の人々は、驚くどころか不審がる。一念発起して、という感じではない。「映画監督になりたい」と気まぐれで口にしたら、友人から「それなら美大だ」と勧められてその気になったまでだ。学費の安い難関の国立に行くしかない。長距離トラックに乗って予備校代を稼ぎ、浪人を重ねて2003年、ようやく合格した。

「それからの話は、不良の更生物語でも貧乏人の成功物語でもないんです」。松田がそう言うのは、その後も「尼崎的なるもの」を手放さなかったからだ。「あま」のエッセンスを美術に持ち込むことは、エスタブリッシュメントによって形成されてきた美術の歴史に、いわば「スラム芸術」のページを書き加えることだ、と。

◇奴隷の椅子

2年生になる頃から油絵を離れ、ビデオ作品を作るようになった。後のパフォーマンス作品もそうだが、表現は激烈だ。時に汚く、時に性的で、時には死を扱う。しかもそれを笑いのめす。

「フィクションではなく、僕が育った頃の尼崎ではそれが現実。浄化されていく社会の中で、ネガティブなものは見えにくくなっているけれど、それを透明なものにせずに提示したい」。時代の現実を残す役割も、芸術にはあると思う。

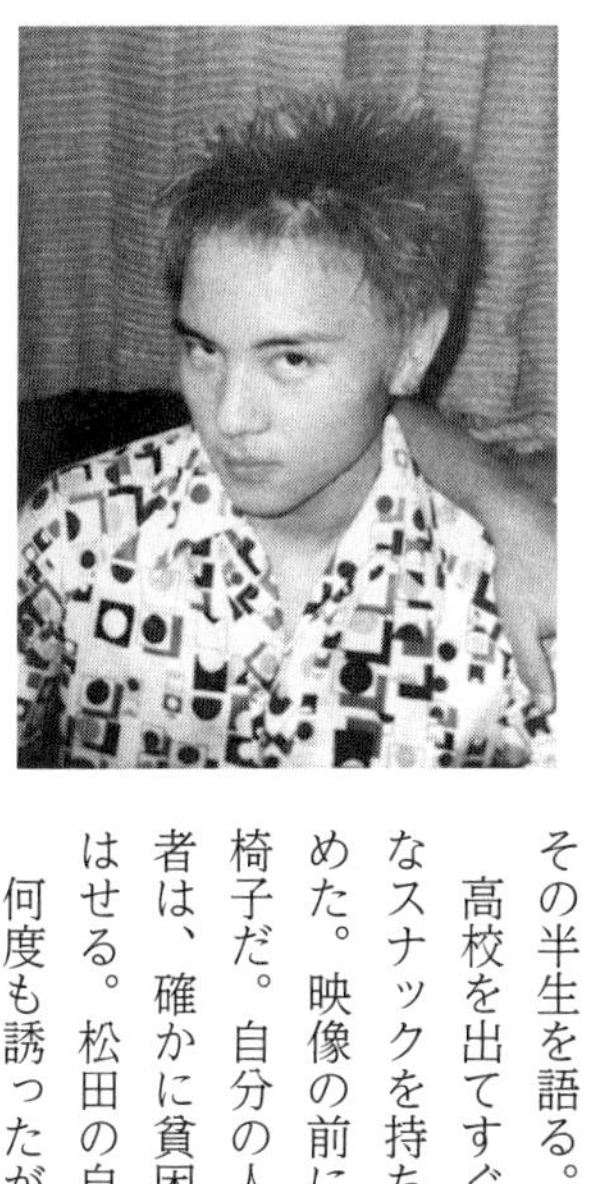

20年、「奴隷の椅子」というインスタレーション作品を作った。「おかん」がモデルのCGが、その半生を語る。

高校を出てすぐにホステスとして働き始め、やがて小さなスナックを持ち、3人の男の子を育て、コロナで店を閉めた。映像の前に置かれたソファは、そこで長年使われた椅子だ。自分の人生を自分で選べなかった人の語りを聞く者は、確かに貧困や、それによって奪われる自由に思いをはせる。松田の自信作だ。

何度も誘ったが、おかんはそれを見ていない。息子が東京で芸術という名の詐欺を働いていると思っている。その疑いを晴らそうと『尼人(あまじん)』という本を書いた。尼崎への愛憎を通して今の日本社会が持つ問題を暗示し、それを解決するために芸術ができることを訴えたつもりだ。

おかんは分かってくれるだろうか。

（✎岩川 📷今里）

◉誰よりも芸術に救われた

「あま」では、あまりに生の実感がない刹那的(せつなてき)な生き方をしていた。「クソみたいな人生」が、一生だらだらと続くと思っていた。その日その日が、なんとなく楽しければそれでええやんと。流されるままに流されて、どういう訳か芸術に行き着いた。そして初めて、自分の可能性を信じることができるようになった。

芸術とは、新しい物の見方を手に入れること。おとんも「一生働かないというアートパフォーマンスをしている人」と考えたら面白いやん。そんな新しい物の見方を、作品に触れた誰か1人にでも伝えられたらと思っている。誰よりも芸術に救われた僕だから。

19 私に何ができるのか　弱さ抱え撮り続ける

高橋美香（パレスチナ取材の写真家　49）

高橋美香が取材中にシャッターを押せなくなったのは、2001年1月のパレスチナ自治区ガザでのことだった。息子の遺影を胸に抱えた年老いた女性が、こちらを見つめている。

パレスチナは、イスラエルに対する抵抗運動「インティファーダ」の渦中にあった。重武装のイスラエル兵への抵抗手段は、投石や自爆覚悟の爆弾攻撃。占領地のいたるところで無残な死が積み重なっていた。

高橋は当時26歳、留学生で写真家を目指していた。ガザの友人の紹介で会ったこの女性は、イスラエル軍に息子を殺されていた。遺影と一緒に抱きかかえていたのは、息子が残した乳飲み子だった。息子の妻は、夫の死に耐えきれず心を病んだ。

それでも女性は自分を受け入れてくれた。「どうぞ撮ってください」。その瞬間、撮ることの重みを突きつけられた。苦しむ人々に一度だけカメラを向け、悲劇を記録したつもりになって去っていく欺瞞も悟った。

辛うじてシャッターを切った。経験のなさや自分の弱さ、そしてこの地で流される何千倍もの涙の存在を思い知った。

◇無為な日々

広島県府中市に生まれ、中学時代、同年代の子どもたちが戦車へ投石する姿をテレビで見てパレスチナへの問題意識が生まれた。学校になじめずバイトや旅に明け暮れる高校生活を経て、埼玉県の大学に進学した。

国際関係とアラビア語を学び、卒業後は弁当工場の夜勤アルバイトで渡航資金を捻出、エジプト留学でさらにアラビア語を学んだ。その間、インティファーダに揺れる現地を2度訪問した。

ガザでの撮影体験も経て、パレスチナに向き合い続けるつもりでいた。ところが、帰国後は無為なアルバイトの日々に入ってしまう。写真を発表する機会もなく、取材資金の蓄えもままならない。貯金のため会社勤めを始めると、経済的な安定への未練が生まれた。安定した生活から抜け出す勇気もなくなり、目標を見失いかけた。

こだわり続けるパレスチナのニュースを見ても、金縛りのように何もできなかった。悔しさとふがいなさを抱え、ストレス発散のためパンクライブに散財する日々を送った。

◇何しに来た

長い苦悩の7年が過ぎ、08年の年末、ガザ地区がイスラエル軍の攻撃を受けた。ニュース映像には火炎に包まれる住宅や激しい砲撃が映る。親しい顔が浮かんだ。

「あの中には彼らがいる。何もしない自分にはもう耐えられない。安定のために夢や目標を犠牲にするのはやめよう」。会社を辞め、約3カ月後に渡航した。ガザ入境は制限されており、ヨルダン川西岸ジェニンの難民キャンプへ向かった。

待っていたのは拒絶だった。路上で出会った40歳前後の男性に自己紹介すると「何しに来た」と怒りをぶつけられた。「あの時世界は何もしてくれなかった」と言う。

キャンプには約7年前、イスラエル軍がテロ対策の名目で侵攻した。中心部ががれきと化し数十人が死亡する惨事となったが、その後世界はジェニンを忘れてしまった。

高橋は忘れてはいなかった。でも、何もできなかった自分は同じ

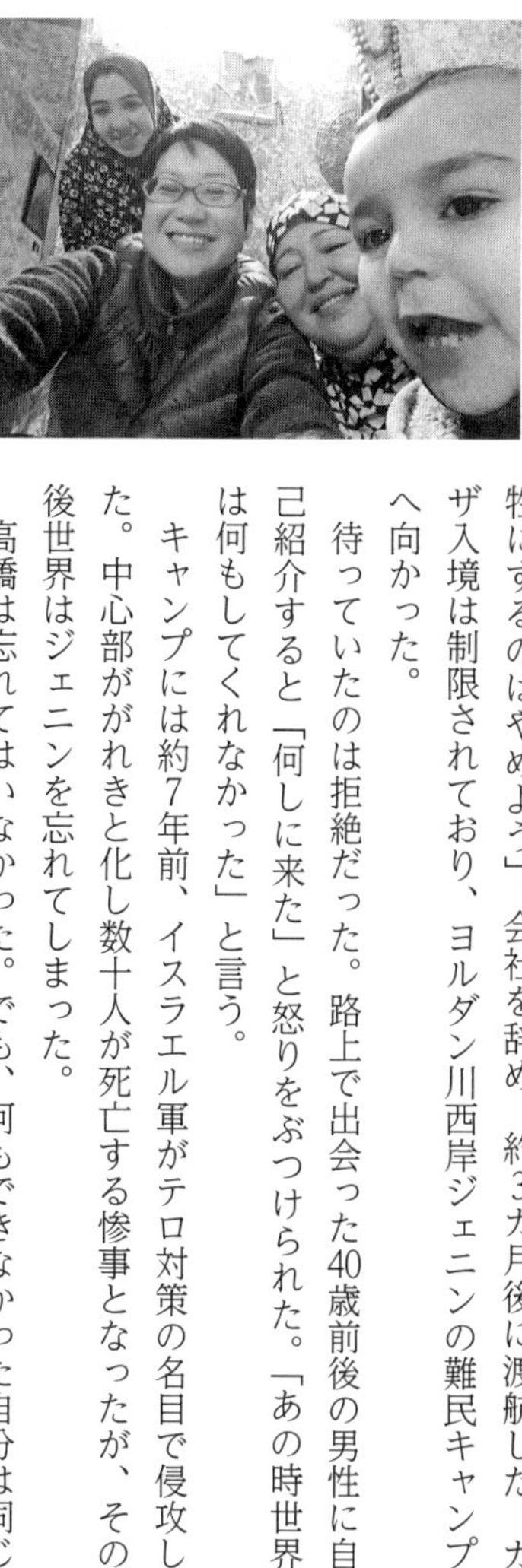

だと思った。「何でいまさら」と冷笑する男性に反論できない。引き揚げる途中、その様子を見ていた子どもらに石を投げつけられ、バッグを蹴られた。

とぼとぼ歩いて乗り合いタクシー乗り場に向かうと、別の子どもに人形劇に誘われた。それが縁となり、数年後に現地の女性と知り合い、女性の自宅に居候しながら長期の取材を始めた。

共感と拒否、それでも再び包み込んでくれる土地と人々。その平和な日々を夢見る。戦争とテロのイメージが強いが、同じ人間であることを伝えるため、笑顔を多く撮り続けた。

その後はアルバイトをしながら書籍を出版し、現地情勢を講演で伝える活動も続けてきた。

◇友の死

現地取材を重ねる中で、互いに家族と思える友も得た。今年2月、その友の親友ムハンマド・アブサバハ=当時(30)=が、ジェニンでイスラエル兵に撃たれ死亡した。彼は武装抵抗組織に入り、イスラエル軍と戦っていた。直接の動機を本人から聞いたわけではないが、周囲には殉教(じゅんきょう)願望を口にしていたらしい。占領地の絶望がそうさせたのか。口数は少ないが何にでも一生懸命な青年だった。涙が止まらず、呼吸の仕方も分からなくなった。

多くの友達が殺された。パレスチナ和平も遠のくばかりだ。「むなしすぎる。パレスチナ取材も含めて全部やめてしまおう」。そんな考えも浮かんだ。どんなに頑張っても、彼らが尊厳のある人生を全うできる時代は来ないかもしれない。

アブサババの死から半年以上が過ぎた。自分に何ができるのか迷いは残る。それでもパレスチナとの関わりは続く。「あの土地には友がいる。早く来いと言ってくれる」　（✎半沢　📷今里）

◉歩き続けるしかない

思えばずいぶん長い間さまよい歩いて来たものだ。無為なアルバイトの日々。パンクのライブ通い。自分の進むべき道を見失いかけていた君に「大丈夫、出口は見つかるよ」と教えてあげられたらいいのに。

無駄に思える、そのすべての経験が、その先の道につながるよと。でもね、今のその迷いは、夢とか人生とか自分自身の小さな世界のことだけ。

世の中にはどれだけ必死になっても変えられないこと、救えない命や尊厳という、もっと深くて暗い迷い道があることを将来知るんだよ。

それでも生かされている者は、命ある限り、その道を歩き続けるしかないことも。

20 神の愛、伝え続ける　旧統一教会やめ牧師に

花田憲彦（はなだのりひこ）（牧師　55）

プロテスタントの牧師花田憲彦が神の存在を認めたのは、世界平和統一家庭連合（旧統一教会）への入信がきっかけだった。

福岡県宗像（むなかた）市の宗教とは無縁の教員一家に、次男として生まれ育った。中学教員を目指していたが、大学は出願締め切り直前に畑違いの経済学部に切り替えた。教員として生きる人生に疑問を感じた決断だったが、明確な目標もなく大学の授業には身が入らなかった。

アルバイトやサークル活動に精を出し、迎えた2年生の1987年12月、花田のアパートに先輩の男子学生が訪ねてきた。「人生について考えるサークル」に誘われ、複数の合宿に参加した。神の存在を信じるに至った頃、明かされたサークルの実態は旧統一教会の学生組織「原理研究会（CARP）」だった。

◇入信

合同結婚式のニュースや周囲の評判で良い印象は持っておらず「ショックだった」。ただ神のために真剣に活動するメンバーの生き方は輝いて見えた。「真実の生き方をしたいと心が叫んでいた」。大好きな酒も、友人との付き合いも断って、入信を決めた。

アパートを引き払って、教団の寮に入った。早朝に祈り、夜は学生の下宿先を訪ねて伝道した。夏休みはワゴン車に泊まり込んで各地を回り、雑巾など生活雑貨を訪問販売した。信仰にささげた青春は一生懸命に生きている実感があった。

花田が88年6月に「出家」を告げる手紙を送って以降、両親は教団をやめさせようと、脱会活動に取り組むエクレシア会代表の牧師和賀真也(わがしんや)に相談していた。89年1月に千葉県袖ケ浦市の同会事務局で1度目の説得を受けた際は、逃げるように立ち去った。

約2年後の90年11月、旧統一教会の正しさを証明しようと、和賀との2度目の面会をした。再びエクレシア会を訪れ、同会が保存する教団資料に目を通した上で正しさを明らかにしようとした。

だが逆に、教団が聖典とする聖書との矛盾を突き付けられた。教団が救世主とする教祖の教えに日々をささげてきたが、聖書はイエス・キリストを救世主と明示していた。真実の生き方を目指しながら、真実そのものが揺らいだように感じ、泣きながら脱会を決めた。

◇聖書

「脱会宣言」した花田に残されたのは段ボール箱1箱分の荷物だけだった。教団の寮から実家に帰った花田は「敗残兵のようだった」。情けなさと惨めさを抱え、約1カ月間、昼夜逆転のひきこもりに近い生活を送った。

わずかに残った荷物の中に聖書があった。もう開くことはないと思っていたが、あまりの虚無感の中、ある日ふと開いてみようと思った。教団で学んだ「神は愛である」との聖書の言葉が脳裏から離れないでいた。

開いたページには、捕らわれたキリストを見捨て、裏切った弟子の話が書かれていた。全てを失った弟子と自身の姿が重なった。その弟子にキリストが「あなたはわたしを愛すか」と繰り返し尋ねる場面に、自身も問われているように感じた。

宗教はこりごりという思いは強かった。一方で「聖書の正しさを確かめたい」という気持ちもあり、再訪したエクレシア会で聖書を学び始めた。神学校でしっかりと学びたいと思うようになり、勇気を出して両親に相談したら、父・勝(まさる)(故人)が「牧師にならないのなら」と認めてくれた。

◇告白

91年4月に千葉県大多喜町の三育学院カレッジに入学した。神学生約20人のうち、洗礼を受けていないのは花田だけだった。多くが牧師を目指す中、花田は卒業後はマスコミ関係の仕事に就きたいと考えていた。

聖書を学ぶにつれ、自分も洗礼を受けて神の愛の大きさに飛び込みたくなる衝動に駆られた。その都度「また宗教か。同じことを繰り返すのか」と自問自答した。

2年間の課程の終わりが近づいたある日の授業で、キリスト教を迫害してきた男が過ちに気づいて洗礼を受ける場面を学んだ。「何をためらっているのか」。そう言われた気がして、涙が止まらなかった。

旧統一教会時代に自身がうそをついて物を買わせたり、勧誘したりした人たちのことを考え、寮の部屋や屋上、山の中で祈り続けた。「申し訳なかった」。号泣し、鼻水だらけで、心の内にしまっていた「罪」を神に告白した。悔い改める祈りはそんな自分でも許されているという感謝のものへと変わっていった。卒業間近に信仰を受け入れ、洗礼を受けた。

卒業後はキリスト教系の新聞社に記者として就職。多くの牧師を取材する中で刺激を受け、また旧統一教会を経ての自身の経験を生かす責任があると考え、29歳で牧師になった。旧統一教会を巡り衝突を繰り返した父は重症筋無力症で病床に伏していた。面会した花田に筆談で伝えた。

「だれもやったことがないことがやれる牧師になってください」

（✎岸本　📷堀）

◉傷は宝に変えられる

裏切られた心の傷って、思っている以上に深いもの。

あの時、「信じる戦い」をしていた自分に伝えたい。信じる心をもつことは、幸せなことなんだ。だからこそ、何を信じるか、吟味（ぎんみ）することはとっても大事。そして、より高尚な人生のビジョンを選択する時、かつての傷は、宝に変えられる。だから悩み、立ち止まることを恐れないで。

挫折して、多くのものを失い、遠回りしてしまった人生。でも、そんな経験こそ必要なのかもしれない。いつの日か、同じように苦しんでいる人々の心に寄り添い、理解してあげられるように、その「迷い道」が与えられたのだから。

21 放水指示、指揮官の宿命　「声なき声」聞き続ける

新井雄治（あらいゆうじ）（元東京消防庁消防総監　71）

新井雄治の義父は戦時中、茨城県の海軍航空隊で少年飛行兵を訓練する軍人だった。92歳で亡くなるまで、会えば特攻隊として送り出した若者たちのことを語ってくれた。「でも敵艦にたどり着く前に、みな撃墜されてしまったんだよ」

口ぶりからは後悔する様子がうかがえた。最後は自らも特攻を命じられたが、搭乗するはずの機体が出撃の直前に使えなくなり生き延びた。その太平洋戦争から60年余り。まさか自分が同じ苦悩を抱えることになるとは思いもしなかった。

◇放水成功

2011年3月11日、東日本大震災が起きた。東京消防庁消防総監だった新井は、東京から200キロ離れた東京電力福島第1原発事故の対応に気をもんでいた。3号機の使用済み燃料プールの水が蒸発すれば、中にある燃料がむき出しになる。自衛隊や警察が注水のために出動したが、事態は好転しなかった。

東京消防庁に出動要請がかかるのは時間の問題だったが、原発事故対応は消防の仕事ではない。新井は隊員を送り出すのに抵抗があった。ただ第1原発が爆発し、大量の放射性物質が飛散すれば東京も無事ではすまない。若手は除外し、40歳以上の隊員だけで部隊を編成するよう命じた。

ところが、主力のハイパーレスキュー隊員は20～30代が中心で人数が足りない。若手に関しては本人の意向を尊重する形にして、139人の派遣部隊を整えた。「消防で働いている者たちだ。千人に1人も断らないだろう」。新井は心のどこかで高をくくっていた。後にその安易な値踏みにさいなまれることになる。

活動中に爆発が起きれば、隊員の大半が死ぬか重い障害を負うのは確実な作戦だ。細かく安全対策をしたところで、全員を無事に帰還させる自信はなかった。「特攻を命じてしまったかもしれない」。福島へ向かう隊列を見送ると、義父の顔が思い浮かんだ。

「放水成功」の連絡は19日未明に入った。放射線の被ばく線量も許容範囲内で、ひとまず胸をなで下ろした。

◇末端の現場

震災対応が一段落した数カ月後、新井は消防総監を退官した。消防の世界からは距離を置くつもりだったが、講演や手記を求められ、原発事故に引きずられる格好で古巣との付き合いは続いた。

15年夏、現地に派遣した隊員が肺がんのため55歳の若さで亡くなる不幸があった。原発事故時にはホースを抱え、車外で活動する部隊に所属していた。新井は放射線が原因ではないかと疑った。

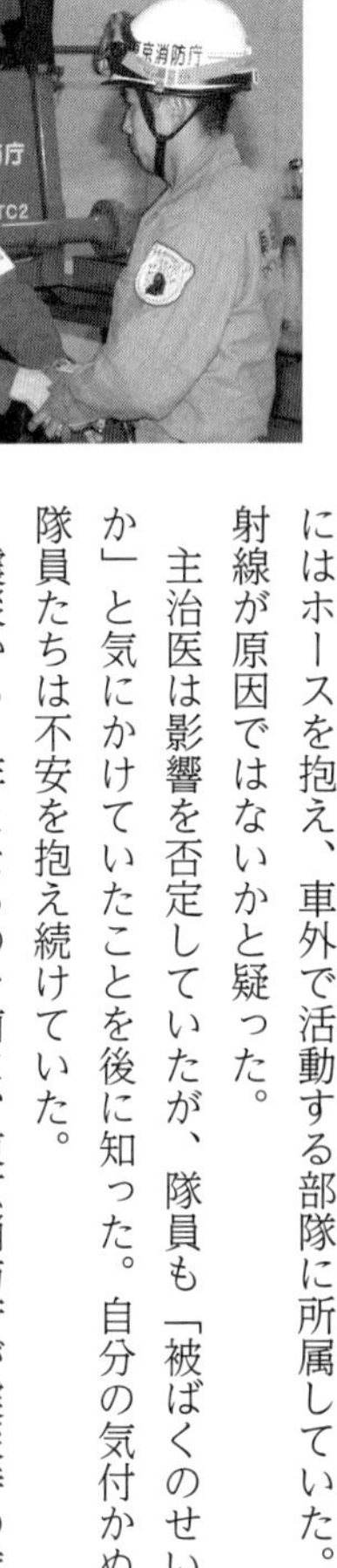

主治医は影響を否定していたが、隊員も「被ばくのせいではないか」と気にかけていたことを後に知った。自分の気付かぬところで、隊員たちは不安を抱え続けていた。

震災から5年となるのを前に、東京消防庁が震災時の隊員の体験談をまとめることになり、編さん委員に就いた。寄せられた手紙やメールを読むと「いっそ総監から出動を命じてほしかった」との一文に目が止まった。

ある消防署は派遣要請があった場合に備え、署員を集めて現場に行けるかどうか意思確認をしていた。署長が「行ってもよい者はいるか」と問うと、「行きます」と中隊長クラス3人のうち2人が手を挙げた。しかし、最も若い隊員は体を震わせながら「自分は行くことができない」と答えるのが精いっぱいだった。

翌朝、その隊員は署長の元を訪れ「行かなければ、この職場で仕事を続けていけない。要請があれば真っ先に出してほしい」と直訴したという。

夜通し悩み、参加を決めた者がいた。家族を心配させないように、現地の活動内容を伏せて福島に向かった者もいた。

末端の現場で、そんな葛藤が繰り広げられていたことを初めて知った。

◇「あんな作戦」

報告書には、成功した事案ばかりが記載されていたが、新井は「表に出てこない話があるに違いない」と気付いていた。

公式の聞き取りでは組織への遠慮が先に立ち、本音を話すことはできないだろう。震災から10年になるのを機に、新井は約10人の隊員に個人的に連絡を取ることにした。

ある中堅隊員は、この任務に部下を連れて行ったことをいまだに悔いていた。「あんな作戦は自分たちが断らなきゃいけなかった」。現場に行った者だけが味わう恐怖、中間で板挟みになった者の悲哀。ため込んでいた苦悩がぽろぽろとこぼれ落ちてくるようだった。

新井は多くの人に「あなたの判断は間違っていない。仕方がなかった」と言われた。隊員からは「参加して良かった」と伝えられたこともある。だが、若手に自主判断を求めるぐらいなら、自分の責任で命じるべきではなかったのか。

自問は今も続く。あの原発を放っておくことはできなかった。もし同様の局面が訪れたなら、今度も自分は「現場に行け」と命じるだろう。たとえ一生得心できない決断だとしても。


（✎三吉　📷堀）

◉まだ話せない人がいる

消防の世界は上から下への命令が常だ。でも本当に相手の話を聞きたいのなら、そんな態度ではいけない。原発事故が起きた時、死ぬかも知れない場所に隊員を送り出す後ろめたさを強く感じた。彼らがどれほど悩んで参加を決めたのかに思いが至っていなかった。

あの時の気持ちをなかなか語ってくれない隊員と、今もメールでやりとりしている。「新井さんの中だけにとどめておいて」と言いながら、徐々に本心を打ち明けてくれるようになってきた。それでもまだ話せない隊員はいる。出動命令は不可避だったとしても、決断したのは自分。何年たっても向き合っていくしかない。

22 すぐ逃げ帰ると思っていた　閉じた世界、夫からの自立

川村久恵（アイヌ記念館副館長　52）

1991年夏、大学生だった川村久恵は、北海道平取町の二風谷を旅行で訪れ、初めてアイヌ民族の文化に直接触れた。アイヌの歴史に興味を持ち、翌年には東京で行われた伝統儀式「カムイノミ」に参加した。そこで出会ったのが旭川市にある川村カ子トアイヌ記念館の館長、川村兼一だった。雰囲気があって見た目も格好よく「すごい人かも」と直感した。

大学卒業と同時に東京から旭川に移り住み、翌年兼一と結婚した。アイヌや少数民族への関心はあったが、それ以上に兼一と歩む人生に胸を躍らせていた。

◇気難しい人

ところが、一緒に暮らしてみると、20歳離れた夫は気難しい人だった。2人の子どもを出産し、長女と長男の子育てで手いっぱいになっていても、夫が育児に関わることはほとんどなかった。同じ敷地内にあるアイヌ記念館と自宅を行き来する毎日。記念館で任される仕事は受付や雑務ばかりで、積極的に手伝おうとすると、夫はよい顔をしなかった。

指示されたことには全て従ったが、何かのきっかけで機嫌を損ねると、口をきいてもらえなくなった。「アイヌではない自分がここででしゃばるべきではない。別にアイヌのことを知らなくても生きていける」。気が付けば、いつも身を引くのが習い性になっていた。

24時間顔を合わせる生活に息が詰まる。世界はどんどん閉じていった。実家に帰る選択肢が何度も頭をよぎった。

結婚から10年目の２００５年春、老朽化したアイヌの伝統家屋「チセ」が建て替えられることになった。ボランティアら約２００人が参加し、久恵もその1人として加わった。しかし作業は予想以上に難航し、年内の完成は無理だろうとのムードが広がりつつあった。

関係者が浮足立つ中、兼一はひとり黙々と作業を続けた。背丈ほどあるささやぶに何度も分け入り、鎌で刈って運び出す。諦めない姿を見て、久恵は「この人には尊敬できるところがある」と素直に思った。共にチセを造り上げたことで、夫への見方が変わった。

◇看板になれ

翌06年、知人の元新聞記者の女性に厳しい言葉をかけられた。「あなたはすぐにここから逃げ帰ると思っていた。でもこの先もいるのなら記念館の看板になりなさい。子育てに逃げてはだめだ」

周囲の人が自分のことをどう思っているかは、何となく想像がついていた。旭川のアイヌで最も有名な「川村兼一」の妻。そして和人(日本人)。でもその枠から自由になれないと決めつけ、閉じこもっていたのは自分の方だった。

幸い子育てが一段落した時期だったので、アイヌ語を文法から学習してみることにした。日本語と違ってアイヌ語は曖昧さを嫌う合理的な言語だ。それは狩猟民族として対象物を正確に観察したかったためだろうか――。学び出すと楽しくなり、興味はアイヌの考え方にも広がった。勉強はその後も約10年間続け、市民対象の入門講座で教えるまでになった。

夫にもまた、微妙な変化が起きていた。それまでは記念館に来た観光客に妻が解説をすると不機嫌になっていたのに、なぜか怒らなくなった。

兼一は子ども相手に北海道の歴史を語るのが、あまり上手ではなかった。一方的に知識を伝えようとするので、聞かされる側は戸惑ってしまう。久恵は子どもの質問に応じながら、理解を深めてもらおうと努めた。すると「イベントの司会もおまえがやれ」と仕事を与えられるようになった。「もしかしたら、この人はずっとアイヌのことを学んでほしかったのではないか」。確信はなかったが、夫の真意に少し触れたような気がした。

◇大将

夫から精神的に独立できると、自らの意思で誰にでも会いに行けるようになった。ユーモアがあって陽気なアイヌたちと話をしていると、アイヌのことが好きなんだと心から思えた。自分はアイヌにはなれないが、2人の子どもたちはアイヌの血を引いている。ルーツと向き合い、誇りを持って生きてほしかった。

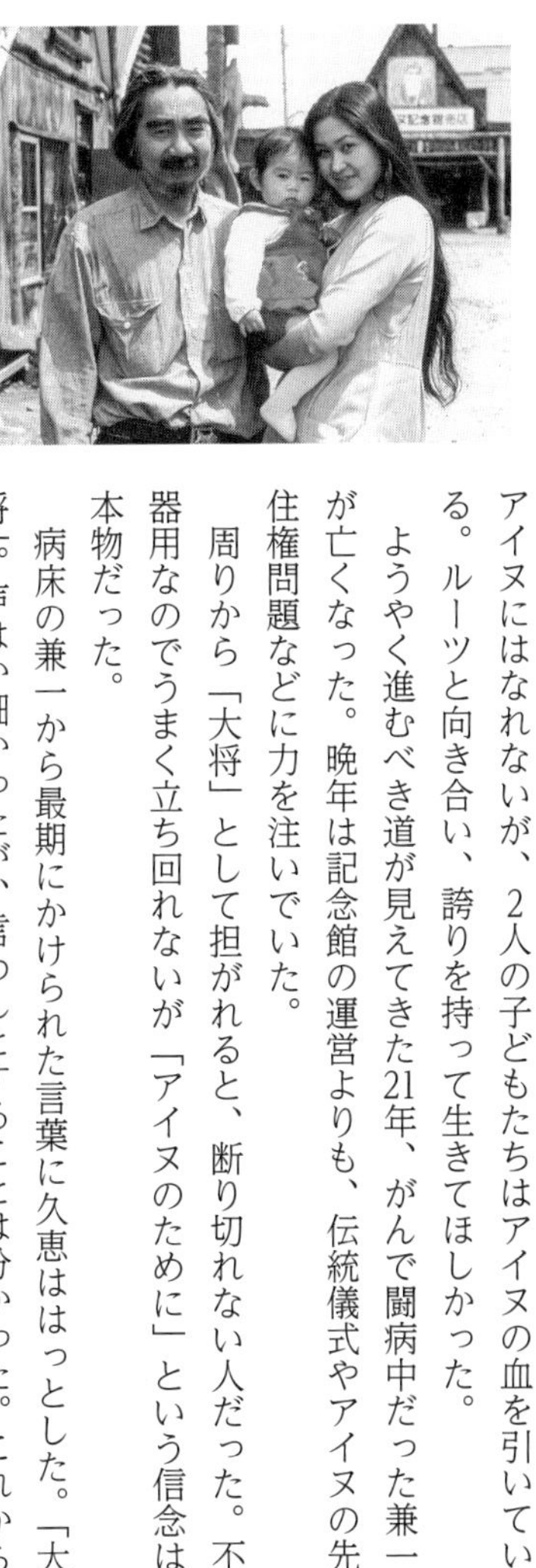

ようやく進むべき道が見えてきた21年、がんで闘病中だった兼一が亡くなった。晩年は記念館の運営よりも、伝統儀式やアイヌの先住権問題などに力を注いでいた。

周りから「大将」として担がれると、断り切れない人だった。不器用なのでうまく立ち回れないが「アイヌのために」という信念は本物だった。

病床の兼一から最期にかけられた言葉に久恵ははっとした。「大将」。声はか細かったが、言わんとすることは分かった。これからはおまえが大将なんだ、と。

夫婦で交わした言葉は決して多くなかったが、遺言状には「息子とともに記念館を頼む」としたためてあった。

2023年7月に新装オープンした記念館の館長には、長男の晴道(はると)(24)が就任した。久恵は副館長として息子を支える。バトンは確かに受け取った。

(✎名古谷 📷藤井)

◉自分が変わらなければ

あんなにつらい毎日だったのに、どうして旭川を離れなかったんだろう。若かったから、年の離れた夫にどう対処すればいいか分からなかったんだよね。今ならもう少しうまくやれたと思う。

結局、家族旅行には一度も行ったことがない。子どもたちには寂しい思いをさせてしまった。夫とは残念ながら普通の家庭はつくれなかったが、今も折に触れて最期の言葉に思いを巡らせる。

時がたてば状況は変わっていく。若い時にはそれが分からない。自分が変わらなければ周りも変わらないことを学んだ。

息子はアイヌ記念館を継ぐと覚悟を決めた。すぐそばで手伝える日々はとても充実している。

23 心の奥、拾ってくれた　傷痕に「おかしい」

千葉広和（国賠償請求訴訟の原告　75）

桜だけは残っていた。西日を浴びた大木を、空を見上げるように見詰める。植えた時には、腰の高さもなかった。10月上旬、千葉広和は、若き日に入所していた宮城県大和町の職業訓練施設「船形学園」跡地に立った。

約4年前、数十年ぶりに訪れた時は更地に草が生い茂っていた。今はコンクリートで整地され、企業が使う。だが仲間と一緒に植えた桜は残され、枝葉が風にざわめいている。「大きくなったな」。心の痛みが胸を突く。

◇手術痕

軽度の知的障害がある。幼い日、父母と妹の4人で、秋田県で幸せに暮らした。父の転勤に伴い、小学校の途中から1人だけ、県内の母方の祖父母宅に預けられた。通い始めたばかりの絵画教室はやめることになった。

祖父母は愛情を注いでくれたが、宮城県で暮らす両親や妹を思うと、さみしさが募った。17歳

だった1966年夏、両親が迎えに来てくれた。

一度は実家に帰ったが、すぐに船形学園に連れて行かれた。布団は事前に運び込まれ、親が勝手に入所を決めていた。

家族と離れた暮らしはつらかったが、青春の日々でもあった。園芸科に所属し、パンジーやシクラメンを育てた。鉢植えをリヤカーに積み、仲間と一緒に売り歩く。「七ツ森」と呼ばれる近くの山々を眺めると、秋田が思い出された。桜は何かの記念日に植えた。

ある日、施設の職員に仲間2人とライトバンに乗せられた。仙台市中心部にあった診療所に着き、突然、手術を受けさせられた。麻酔を2本打たれた記憶がある。翌日会いに来た母親は、手術に触れなかった。左脚の付け根に痕が残った。

入浴時、多くの仲間に同じ傷があることに気付いた。「おかしい」と思ったが、誰も話題にせず、親にも、職員にも、聞けなかった。

72年に退所。就職した木工所では、罵倒され、暴力を受け、食事は少量で栄養失調になった。植木屋や農園を経て勤めた養豚場では、家畜用の電気ムチでヘルメットが割れるほど頭を殴られた。
実家に帰省しても「逃げ出したい」とは言えなかった。父親の口癖は「男だったら黙っていろ」。我慢を続けながら、歳月を重ねた。

◇帰り道

支援者の村山郁子(むらやまいくこ)との出会いが転機になった。15年ほど前から、村山が副代表を務める仙台市のNPO法人「生活支援きょうどう舎」のグループホームで暮らす。

2018年5月。乗用車の運転席でハンドルを握る村山に、後部座席から打ち明けた。「自分も手術を受けさせられました」と。

この年の1月、旧優生保護法下で、障害を理由に不妊手術を強いられたのは憲法違反だとして、宮城県の女性が、全国で初めての国家賠償請求訴訟を仙台地裁に起こした。報道を見て、施設にいた時に受けさせられた手術と重なった。

なぜあの日、打ち明けられたのだろう。取材に来た記者に問われ「父親と面会した帰り道でした」と答えたことがある。だが、それ以上聞かれても、言葉が出ない。「分かりません」

と言って、うつむく。

いつもそうだった。好きなテレビや野球、音楽の話なら、楽しく話せるのに。気持ちや意向を聞かれるのは苦手だ。

きょうどう舎の支援者は、辛抱強く耳を傾けてくれる。心の奥を、ぽつり、ぽつりとこぼしてみる。その言葉を拾ってくれる。

優生手術についても、何度も話を聞いてくれた。弁護士とも会い、自分にも分かるように説明してくれた。国賠訴訟をやりたいと思った。

◇白い紙

壇上で足がすくむ。約千人収容のホールは満員に近い。今年10月中旬、知的障害のある当事者が自己決定を求める運動「ピープルファースト」の全国大会が大阪市で開かれた。

村山の勧めがきっかけで、何度も大会に参加してきた。この日は旧優生保護法訴訟の法廷を舞台にした劇を仲間が企画してくれ、主役として出演した。

出番だ。言葉が出ない。せりふが書かれた紙を持つ手の震えが止まらない。それでも、全員が待つ。

数十秒後、最初の一言を絞り出した。「親と職員が自分には内緒で手術を受けさせました」。吃(きつ)

音（おん）がある。全てのせりふを言い終え、頭を下げた。温かい拍手が起きた。

ピープルファーストの活動に加え、15年ほど前から取り組む絵の創作も心の支えになっている。白い紙を前に、最初は何も描けなかった。小さなマス目を一つずつ色鉛筆で塗りつぶす練習から始めた。やがて故郷・秋田の山が心をよぎった。

それからは、山ばかりを黙々と描く。背景はいつも青空で、山は鮮やかな緑色だ。施設のそばの七ツ森を思って描くこともある。

いつか、よく晴れた春の日、あの桜が咲いているところを見てみたい。（✎宮城　📷泊）

◉怒る力は備わっている

国を相手に裁判を始めてからもう5年になる。法廷や集会で発言するために、支援者とたくさんの文章を作った。手術当時、おかしいと思ったのに誰にも聞けなかった理由を「周りが決めたことに言いなりで、全てを受け入れていた」と表現した。怒るという感情すら持てずにいた。丁寧に気持ちを聞かれたことがなかったし、上から抑え付けられることに慣れていた。

「ピープルファースト」の仲間に出会って少しずつ変わっている。「障害者である前に1人の人間だ」と声を上げられるようになった。大丈夫、理不尽なことに怒る力は、あなたの中にちゃんと備わっているよ。

24

これは僕の投げ方じゃない　人に教える怖さ原点に

水尾嘉孝（みずおよしたか）（野球部コーチ　55）

プロ野球オリックスや西武などでプレーした水尾嘉孝は、プロ野球史上2人目の契約金1億円ルーキーだった。それは同時に「消えたドラフト1位」と呼ばれる過去でもある。順風とは言えない選手時代を過ごし、現役引退後は15年近く野球から距離を置いた。

◆裏の意味

父親に考えなさいと言われて育った。食事前のテーブル拭き。「拭いたのか」と聞かれて「拭いた」と答えるとたしなめられた。「拭けというのはきれいにしなさいという意味。言われたことをやるのではなく、言葉の裏の意味を考えなさい」

気になることは、何でも聞かずにはいられない性分に育った。野球で高知・明徳義塾高や福井工大に進んでも、その性格は変わらなかった。先輩やコーチに練習の目的を尋ねては「黙ってやれ」「おまえは一言多い」とあきれられた。意図を知るのは大事だと思いながら、相手に言い返されると、それ以上は聞けない情けない自分もいた。

1990年のドラフト会議前に、足がしびれる症状が現れるようになった。プロに行くのは難しいと感じていたが、スカウトは「プロのトレーナーに診てもらえば治る」と太鼓判を押した。周囲の期待も感じ、断る選択肢はなかった。

大洋（現DeNA）に入団したものの、スカウトの話は伝わっていなかった。トレーナーが診てくれることはなく、試合での投球は足の状態の良しあしに左右された。プロ初先発で完投したかと思えば、次の登板では一回途中KO。コーチには「鍛え方が足りないからだ」と突き放された。

球団は万年赤字で、打撃投手が不足していた。しばしば2軍の投手が駆り出され、水尾も登板前日に呼ばれて調子を崩したことがあった。使い捨てのような扱いに納得できず、次に声をかけられた時には拒否した。

◇頭を使え

あからさまに干され、全体練習から外された。後悔はなかったが、1人では投球練習ができない。育成担当のコーチに頼み込むと、渋々球を受けてくれるようになった。

一緒に練習を始めると「どうせやるなら、頭を使え。足が動かないのなら、動かないなりに考えろ」と言われた。足の状態に気付いてくれていたことが、うれしかった。

鏡の前でシャドーピッチングを繰り返した。「効率よく球に力を伝えられれば、力を入れる必

要はない」と教わった。答えは物理法則にあると理屈で説明され、初めて経験が知識とひも付いていく感覚を手にした。自分の頭で考えられるようになることが楽しかった。投球の原理が理解できると足の状態が悪くても抑えられるようになった。

95年にオリックスに移籍し、翌年2軍で調整中のことだ。1軍に昇格する後輩に「力任せではなく、バランス良く投げたら」と助言した。入団時は150キロの速球を武器にした選手だった。肘を痛めるなど故障がちで結果を出せておらず、かつての自分を見ているようだった。

アドバイスをした直後、後輩はプロ初勝利を挙げた。声をかけると「これは僕の投げ方じゃない」とぼそっと口にした。小さくまとまりたくない。こんなストレートでは嫌だと言われた気がして言葉を返せなかった。

人に教える難しさと怖さを知った。以降は聞かれれば答えるようにはしたが、自分から教えることはなくなった。

選手として最後は米大リーグにも挑戦した水尾だが、その後も故障との闘いは続き、2006

年2月に引退を決めた。

◇言葉を届ける

野球に未練はなかったが、19年に母校の福井工大からコーチの話をもらい、附属中・高の硬式野球部のコーチも引き受けた。久しぶりに足を踏み入れたグラウンドは、体が動く限り立っていたいと思える場所だった。

同じ年、オリックスの後輩に再会し「水尾さんに教えてもらったことは正しかった」と殊勝なあいさつをされた。横手投げに変えたり、上手投げに戻したりとその後は苦しい経験をしていたからだろう。「自分なりにアレンジして受け取れば良かったのに、当時は余計なことを言われたと感じたんです」

あの時と言ってることが違うじゃないかと苦笑しながら聞いていたが、はっと気が付いた。故障に苦しんだ時、コーチの言葉を素直に聞けたのは、足の状態を理解してくれていると感じたからだった。だとすれば、自分はこの後輩のことをどれだけ考えてコーチングをしただろうか。

今指導している中学生は、怒られたと感じたら耳をふさいでしまう。言葉を届けるために選手を観察して目を見て話すことを心がける。自分で考えて野球ができるようになってほしいと願いながら声をかけ続けている。

3年だけのつもりだったが、気付けばコーチになって5年目を迎えた。教えるという営みの奥深さに、日々魅了されている。

（✎石原　📷今里）

◉答えは出ているはず

甲子園で優勝経験のある監督に「投球を教えてほしい」と頼まれ、投手にアドバイスをしたことがある。すると、監督はずっと横に張り付いて「俺は投手のことは分からないから、一緒に教えて」と話を聞いていた。

自分は元プロ野球選手だが、指導者としての実績は何もない。それなのに誰よりも前に来て、吸収しようとする名将を見て、優秀な指導者の条件を教えられた気がした。

人を指導するのは何歳になっても難しい。20代の君が後輩にうまく教えられなかったとしても不思議はない。迷ったら自分に置き換えてみること。どんなふうに言われたら納得できるだろう。もう答えは出ているはずだ。

25　贖罪の思い胸に反戦運動　米軍調査に協力の過去

山里節子（反戦運動家　85）

世界最大級のアオサンゴ群生地、沖縄県・石垣島の白保海岸の沖に、新石垣空港を建設させないよう反対運動に奔走していた山里節子は目を疑った。

「軍事利用の危険性／白保海岸の空港建設」。1985年5月、「沖縄タイムス」に、こんな見出しの記事が載った。「白保海岸が軍事上の目的から、大型飛行場建設に適している」と50年代の米軍の調査報告書に記載されている。新石垣空港建設計画は、この報告書を下敷きにしているのではないかという内容だった。

山里は驚愕した。その調査に、自らが助手として参加していたからだ。

◇米地質学者

戦後、山里は八重山高校に通いながら米国民政府が設立した琉米文化会館で英会話を習った。米国の民主主義への期待と憧れがあった。55年5月、同会館の英語教師から「米国地質調査所の調査団が、助手を求めている」と声をかけられる。

5人の女性が面接を受け、山里だけが採用された。女性地質学者ヘレン・フォスターが島内を回る時、付き添って手伝う仕事。2人は連日、露頭している石灰岩や花こう岩などさまざまな岩石の境界線をたどり、サンプルを採取した。調査結果を地図に書き込み、岩石の分布図を作成した。山里が18歳の頃だった。

現地調査に1年半。東京・王子の米陸軍地図局に移り、さらに3年かけて報告書をまとめた。山里も地名の校正などのため、東京へ同行した。

米軍は、ヘレンらの地質報告書を基に、軍事施設の適地についての提言を加えて軍事報告書として完成させたのだ。

「私が協力した調査が軍事目的だったと知り、贖罪意識を抱くようになった。今でもそれを首根っこに背負っている」と山里は言う。

◇サンゴを守る

山里はその後、米国の航空会社で客室乗務員として働くなどした後、76年暮れに帰郷。石垣島産の藺を使って絹織物を作る活動をしていたが、78年ごろから空港建設反対の運動を始める。白保へ移住。白保公民館の新空港阻止委員会の事務局員として国内外の支援団体との連絡業務を担当した。

サンゴを研究している米海洋生物学者キャサリン・ミュージックと山里が、琉球大で出会ったことが運動を飛躍させた。キャサリンは83年3月、英字紙「ジャパンタイムズ」に記事を寄稿。「白保の海を埋め立てるのは、金の卵を産むガチョウの首を絞めるのと同じだ」と、空港建設の理不尽さを訴えた。さらに、世界自然保護基金(WWF)や国際自然保護連合(IUCN)と連絡を取り、約20カ国の首相らに白保の保全を訴えた。

調査報告書のことを知ったのが85年。ためらいを覚えながらも運動に突き進んだ。88年2月、山里とキャサリンらは、コスタリカで開かれたIUCNの総会に出席。日本政府に空港建設計画の見直しを求める決議が採択された。

国際的な世論が高まる中、沖縄県は89年、新空港の白保海上案を撤回。代替案である白保北方のカラ岳東側海上案も92年、断念した。「白保の運動は環境問題が前面に出たが、空港建設の背後にある軍事的な面にも目を向けるべきだと、私は訴えてきた」

◆過酷な戦争体験

石垣島の中央部。於茂登岳の南麓に2023年3月、陸上自衛隊の駐屯地が新たに開設された。

山里は現在、「いのちと暮らしを守るオバーたちの会」の代表。平均年齢約70歳の女性15人の会員は毎週日曜日の夕方、島の各地の交差点で1時間のスタンディングを続けている。「島を戦場にさせない」などと書かれた横断幕やプラカードを掲げ、通行人や車を運転する人に訴える行動だ。

「有事には住民を守ると言うが、島が軍事要塞化すれば攻撃目標となり、住民は戦火に巻き込まれる」。こう語る背景には、太平洋戦争中の過酷な体験がある。

45年3月下旬、沖縄戦が始まると、石垣島は連日、米英軍機の猛爆撃にさらされるようになった。山里の一家6人は危険な市街地を離れ、山中に建てた小屋で生活。次々とマラリアに感染し、母親は5月17日に亡くなる。

旧日本陸軍は6月1日、「住民は軍指定地に避難せよ」と命令。山里らは、於茂登岳西側の指定地に移動した。「竹床の長屋に10世帯がゴボウのように詰め込まれた。みんなマラリアの高熱にうかされ、阿鼻叫喚のありさまでした」

石垣島や波照間島など八重山諸島の住民は軍命でマラリアの巣窟の山間に強制移住させられ、人口約3万1千人のうち3647人が死亡した。「軍隊は住民を守らない。私は身をもって知った」

山里は、次の日曜日にも複雑な思いを胸に、仲間と街角に立ち、反戦を訴える。「米軍の報告書に協力した私は、堂々と運動をやる資格などないと自分に言い聞かせている。でも、戦争につながる自衛隊駐屯地は撤去させなければならないという強い思いで、運動を続けていきます」

（✎藤原　📷堀）

◉問題の本質見抜けなかった

地質学者のヘレン・フォスターは、上司という枠を超えて、語学だけでなく、さまざまなことを教えてくれた恩師です。ヘレンは自然に真摯（しんし）に向き合っており、私が切らなくてもいい木の枝を切りはらうと、たしなめられました。

でも、彼女たちは軍事目的の調査で来島したのに、私は、その本質を見抜けませんでした。ヘレンたちも、自分たちは軍人ではなく科学者だという自負があり、葛藤しながら調査していたことを後に知りました。当時の私は問題意識が希薄で深く考えなかった。白保の新空港反対運動に参加していなかったら、今も同じような状態だったかも知れません。

26

資本主義への挑戦敗れ「全員参加」に託した夢

田中克治（元印刷会社社長 68）

人前で言葉が詰まるのは初めての経験だった。2018年6月、東京都足立区の印刷会社「ミツノ」の社長、田中克治は、食堂に集めた9人の従業員に倒産を告げた。「悔しいけれど、終わりを決断せざるを得ませんでした」

02年に発足した会社は労働組合が母体だった。株式会社だが出資者は全員従業員で、それぞれの意見を経営に反映させる労働者協同組合の理念を掲げた。トップダウンでなく、責任をみんなで分かち合う合議による運営を目指し、設立趣意書では「労使紛争からの解放」をうたった。

長年、労働運動に身を置いた田中にとって、自主経営は弱肉強食の資本主義社会への挑戦だった。ただ、それは経営者と労働者という異質な立場の間で揺れ動く、葛藤の始まりでもあった。

◆自由の空気

福岡・筑豊の炭鉱住宅の長屋で育った。みんな貧しかったが、どの親もよその家の子どもにも食事を分け与え、遠慮なく叱る共同体だった。

高校2年で、福岡市の県立福岡高校に転入すると、都会には自由の空気が漂っていた。仲間に誘われマルクス・エンゲルスを読んでみたり、沖縄返還協定反対のデモに参加したりした。幼いころから貧しさを目の当たりにしてきた田中には、自分が学びたいことがそこにあった。

進学した静岡大でも学生運動に没頭。やがて就職の時期を迎えると、自分で労組を組織して職場環境を良くしたいと考え、労組のない中小企業への就職を目指した。

印刷工場は長時間労働、低賃金の職場だったが、確かな技術が求められる仕事は楽しかった。早く一人前になりたい気持ちが勝り、労組をつくるのは先のことだと思っていた。

1年後、事件があった。賃上げの延期に怒った従業員が一斉に職場放棄し、田中が首謀者と見なされ解雇されたのだ。思いがけぬ形で労組を結成することになり、撤回を勝ち取った。

その後は、社内の労働条件の改善だけでなく、社会全体の問題に目を向けるため、外部の労働争議を積極的に支援した。

◆理念の形骸化

1990年代後半、出版事業が先細りし、経営陣は黒字のうちに工場を廃業する意向を示した。労組幹部だった田中は会社側と交渉を重ね、家賃を支払う代わりに機材を安価で買い取り、新会社を設立した。確たる勝算はなかったが、従業員の雇用を守りたかった。

外部の労組の仲間からは「経営と労組は別だ。経営者らしくならないと事業は失敗する」と忠告を受けた。田中は「気持ちは労働者側にある」と言い返した。新しい会社では労使問題は絶対に起きないと信じていた。

当初は順調にみえた経営はやがて暗転する。リーマン・ショック、東日本大震災によって需要が後退。勃興したネット印刷に、価格で対抗するのも難しかった。

月に1度、経営状況を公開し、改善点や方向性を話し合う会議は、ミスをした従業員を別の従業員が責任追及する場に変わった。田中は厳しい現実を伝えることに尻込みし、問題を抱え込むようになった。全員参加の理念は形骸化した。

自身の報酬を下げ、私財を投入し、借金をしても業績は改善しない。従業員の賃下げや人員削減という「禁じ手」に手を付けざるを得なくなった。「なりふり構わずだね。最初の志なんて、へでもなくなっていた」。一部の従業員とは口もきけない状態になった。

交渉の場ではひたすら怒号に耐えた。「自分が同じ立場なら同じように突き上げる。それだけのことを強いた」

◇**経営者の孤独**

労働条件切り下げの通知文は深夜、静まりかえった事務所に残ってつくった。さまざまな思いが去来した。今後の妻との関係はどうなるのか、母親が存命のうちに倒産し「がっかりさせたくない」との願いもあった。経営者の孤独とはこういうことなのかと知った。

倒産を伝えた時、従業員からは何の声も上がらなかった。どう受け止めてよいか分からず、言葉にならないのだと思った。取引先に頭を下げ、再就職を決められたのが、せめてもの田中の罪滅ぼしだった。

描いた理想をどうすれば実現できたのか、今も考える。印刷業界への逆風は失敗の大きな要因ではあったが「雇う者と雇われる者、決める人と従う人。その溝を埋めることは、どうやってもできないのかもしれない」と敗北感も頭をもたげる。

田中は今、都内の福祉施設で、老齢の元日雇い労働者らのケアに従事し、休日はフードパントリーを仲間と開く。経済的な困窮だけでなく、地縁も血縁もなくした人たちと関わり、自分はいかに世の中を知らなかったか痛感した。「そう簡単に心は開いてくれない。でも、丁寧に接していると「ありがとう」って言ってもらえる時があるんだよ」。印刷工場時代とは別の生きがいがそこにはある。

(✎小島孝 📷今里)

◉後悔はたくさんある

「みんなで会社を経営する」「雇われ根性から脱却する」。会社を設立した当初に掲げた理念は、収支が悪化するにつれ色あせてしまった。抽象論ではなく、具体的に会社の仕組みを変えたいと挑んだが壁は厚かった。

1人で問題を抱え込まず、仲間に厳しい台所事情を伝えればよかったのに、職場の雰囲気が辛気くさくなるのが嫌でためらってしまった。結果は同じ倒産でも、もう少し自分の弱さに向き合えていたら、少しは理想に近づけたのかもしれない。後悔はたくさんある。

目の前のことしか見えなくなったら、好きなバッハでも聴きながら実現したい理想とは何だったのか思い出してほしい。

27 母の葛藤、寄り添い祈る　事実受け入れ、沈黙破る

菊池文子（語り部の被爆者　79）

小高い丘に立つ自宅から眺める長崎湾の海は、いつも輝いていた。中学生だった菊池文子は毎年8月9日の原爆投下時間になると、その景色を見つめ黙とうした。普段優しい母が、この時だけは険しい顔で祈るように強いた。「うちも被爆したの？」。素朴な問いに答えてはくれなかった。母の口から、その理由が語られることは最後までなかった。

◇思い込み

実家には経済的な余裕がなく、菊池は中学卒業後、地元の缶詰製造会社に入社した。丁寧な仕事ぶりが評価され、19歳で神奈川の支社に転勤を打診された。支度金が支給されると聞き即決した。

酒浸りの父に殴られ罵倒されながら6人の子どもを育てた母を、少しでも楽させたかった。年上の男兄弟が多かったので、母は末っ子気質の菊池を特に気にかけた。

生まれたのは、爆心地から約4・7キロの場所にある実家だ。祖父やきょうだいだけでなく、

1歳だった菊池も被爆を免れることはできなかった。

中学生になったころ、被爆者健康手帳の交付申請が始まった。家族は申請するそぶりを見せず、被爆の事実も伝えなかった。菊池は「うちは被爆していない」と思い込んだ。

神奈川で同僚の女性に長崎出身と告げたある日、相手の顔から表情が消え、避けられているような気がした。「被爆者と思われたのかな」と感じたが、それ以上深くは考えなかった。

新しい生活環境には体がついていかず、1年ほどで会社を退職した。兄のつてで都内の八百屋に勤め、そこで知り合った男性と交際し、埼玉の畜産農家に嫁いだ。

◇沈黙

夫の一家は大農家だった。菊池は毎日泥まみれになりながら、慣れない農作業をこなした。23歳で出産する直前、病院へ向かう途中に夫の家族から信じられない言葉を浴びせられた。「おまえは被爆者だ。四肢のない子どもが生まれるだろう」

菊池の実家が十分な結婚祝いを送らず、夫一家が不満を持っていることは知っていた。ただ、嫌みにしてはひどすぎる。これまで何も言わなかった夫は知っていたかのような態度を取り、菊池をかばってはくれなかった。

結婚前、訪れた長崎の実家で母から何か聞いたのだろうか。職場の同僚に避けられて以来、心に封じ込めてきた疑念が再び頭をもたげた。

無意識に受話器に手を伸ばし、母に尋ねた。

「私って被爆者?」

「……。苦しかったらいつでも帰ってこんね」

沈黙が続いた。それが答えだった。

なんでもっと早く言ってくれなかったの。生まれてくるわが子に悪影響はないの。母は事実を語らなかった。怒りにも似た感情が芽生えた。その代わり「離婚してもいいから帰郷して」と何度も求めた。

事実を隠してきた責任を果たそうとするかのように聞こえた。感情にまかせてぶつけそうになった言葉を引っ込めた。

その後息子が生まれ、親の気持ちを考えられるようになると、わが子に真実を伝えられなかった葛藤が理解できるようになった。被爆者と知った場合、娘が差別を受ける可能性を母は考えたのだろう。

今度は菊池が同じ立場に立たされた。息子に被爆2世であることを伝えるべきなのか。堂々巡りを続けたが、最終的には母と同じ選択をした。被爆者であることは自分の心の内にとどめた。

◇ゆるし

被爆者と分かっても、気に留めない友人がいる一方で、仲良くなった後に離れていく人もいた。「被爆者ってうつるんでしょ?」。去り際の一言に胸を突かれた。仲良くなるほど、相手を信じて話すべきか、言わない方がよいのか悩んだ。

息子が二十歳を過ぎたのを機に、自分を守ろうとしなかった夫と離婚することを決意した。数年後、再婚先の実家がある岩手に移住した。

被爆時の状況を初めて知ったのは、2014年に帰省した時だ。菊池家で唯一存命だった次兄宅を訪れ、当時の状況を聞いた。口を一文字に結んでいた次兄は、しばらく間を置いて言った。「祖父ときょうだいが文子に覆いかぶさって、爆風から守ったとよ」

菊池は感謝の気持ちを伝えるのがやっとで、言葉が見つからなかった。

子どものころ、口酸っぱく祈ることを求め続けた母を思い浮かべた。娘に真実を告げられない負い目を抱え、共に祈ることでゆるしを求めていたのかもしれない。死に際に「文子」と連呼したという心中を思った。

移住後、岩手の被爆者団体を紹介された。夫の親族が広島の被爆者だったのが縁だ。積極的に活動はしなかったが、22年から高校生らに被爆後に受けた差別体験などを語っている。

帰郷させたがった母の声に耳も傾けず、死に目にも会えなかった。最後まで親不孝だった私を許してくれるだろうか。母の写真を握りしめながら、祈りをささげている。（✎待山 📷今里）

◉被爆の意味見いだせる

被爆者という事実を知り、苦しかった時期に長崎に戻らなかったのは、親元を離れて独り立ちするんだという意地があったからだよね。素直に帰郷していれば、友達を失うことも、ひどい言葉を投げかけられることもなかったかもしれないのに。小さい体でよく働き、辛抱し続けた。

被爆者だという事実は、時間をかけて少しずつのみ込んでいける。そのうち友人だけでなく、被爆後の体験講話をやろうと思える。聞いてくれる高校生らは、まっすぐな目線でたくさんの質問を投げかけるよ。そんな時、自分にしか話せないことなんだって実感できる。被爆者である意味を見いだせるようになる。

踏み出す、歩む

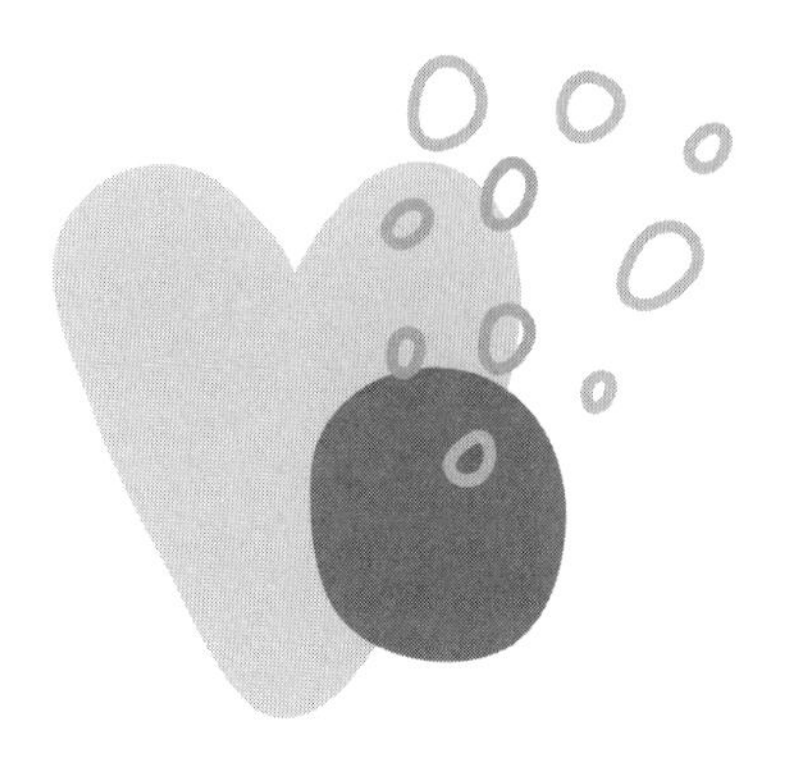

28 やっと自由になれる　未練なき引退、後ろ盾捨て

野島さえ（鍼灸師、トレーナー　39）

海外遠征から戻った直後で、時差ぼけが残っていたのかもしれない。練習相手に大外刈りをかけられ、その場にうずくまった。右足前十字靱帯の損傷だった。２００８年3月、柔道78キロ級の野島さえ＝旧姓中澤＝は、北京五輪の代表選考のまっただ中にいた。

医師には「手術が必要だ」と言われたが、それでは半年後の本番に間に合わない。ごまかしながら競技を続け、何とか代表の座は手にした。ただメダル候補として臨んだ五輪は、実力を発揮できないまま初戦で敗れた。

再起を懸けて競技を続けたが、過酷な練習に体が悲鳴を上げた。コーチの激しい叱責を受け、精神的にも追い込まれた。「自分は何のために柔道をやっているんだろう」。意欲を保てなくなり、翌09年に26歳で引退を決めた。将来を惜しむ声もあったが、一切の未練はなかった。「これで柔道から離れられる。やっと自由になれる」

◇本心

小さいころから、絵を描くのが好きだった。朝早く起き出しては、寝床の電気スタンドをともしてスケッチに没頭した。

両親はそんな娘を見て「引っ込み思案で人見知りな性格」と感じ、小2の時に柔道をやらせてみた。体が大きく力もあったので、6年生の男子をいきなり背負いで投げてしまった。「それほど好きではないけど、勝てるから悪い気もしない」。幸か不幸か、自分の本心がよく分からないまま、柔道人生を歩み始めた。

高校進学時には柔道を続けるか、美術を取るかで大きな決断を迫られた。「本当に好きなのは美術。でも活躍できるのは柔道」。誰かに強制されたわけではない。ただ15歳だった野島は、周囲の人たちが望むであろう現実的な道を選んだ。

選択の正しさは、ほどなく証明されたように見えた。世界選手権で2度も準優勝し、美術好きの自分の中に信じられないほどの闘争本能が備わっていることに驚いた。

「柔道はけんかみたいなもの。負けたくない気持ちが人より強い方が勝つ」。多くの観客が見守る中、悠然と畳に上がる時の高揚感も好きだった。

その一方で記者の取材に応じる時には、どこか遠くを見据えるような言葉を口にした。「常にいろんなことに興味をもって生きていきたい。人間として成長したい」。他の選手たちが眼前の勝利に血眼になるそばで「人生は柔道だけじゃない」とでも主張するように。

◇反抗期

引退した後も、何度も柔道の夢を見た。練習ではコーチにしごかれ、試合に負けるとぼろくそに怒鳴られた。記憶はうそをつかなかった。

かつての知り合いから「指導者をやらないか」と声をかけられても断った。五輪代表ともなれば柔道界と関係を持ち続けるのが不文律の世界だが、「理不尽な指導がまかり通る勝利至上主義の場には戻りたくない」と決意は固かった。

「何となく他人の望む生き方をしてきたけど、自分の人生は自分でちゃんと決めたい」。少し遅れてやって来た反抗期だった。ただその代償として、柔道界という大きな後ろ盾を失った。

大学院を出た後は、父親の家具修理業の仕事を手伝ったり、理学療法士や柔道整復師を志したりもしたが、どれも長続きはせず、自力で生きる大変さを思い知った。

柔道に背を向けたものの、華やかな舞台が忘れられず、物足りなさを感じている自分もいた。

「結局私は何もしていない。柔道界に不義理を働いているだけではないか」。うしろめたさから親しい先輩に会うのもためらうようになった。

◇町道場

30歳を過ぎたころ、千葉県我孫子（あびこ）市にあるジムでトレーナーとして働き始めた。中高年に運動指導をする仕事だったが、「会話の機会が少ないお年寄りのストレス解消になれば」と積極的に話しかけて回った。

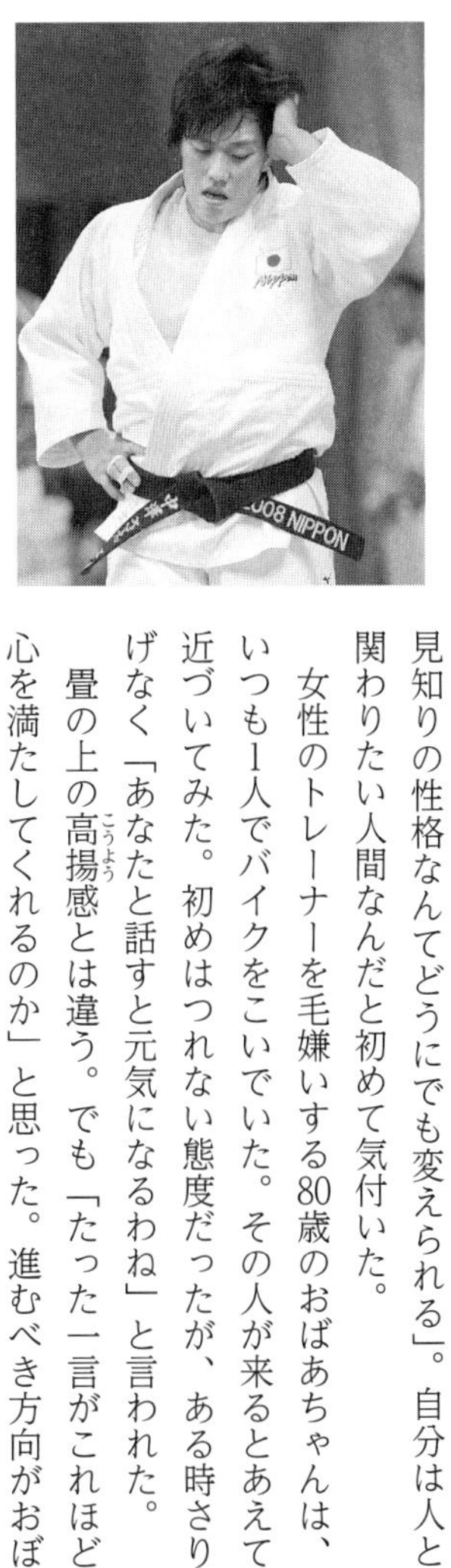

相手が健康になると思えば、嫌な顔をされても苦にはならなかった。「好奇心が上回れば、人見知りの性格なんてどうにでも変えられる」。自分は人と関わりたい人間なんだと初めて気付いた。

女性のトレーナーを毛嫌いする80歳のおばあちゃんは、いつも1人でバイクをこいでいた。その人が来るとあえて近づいてみた。初めはつれない態度だったが、ある時さりげなく「あなたと話すと元気になるわね」と言われた。

畳の上の高揚（こうよう）感とは違う。でも「たった一言がこれほど心を満たしてくれるのか」と思った。進むべき方向がおぼろげながら見えた気がした。

その後、鍼灸（しんきゅう）師の免許を取り、個人でトレーナー業を続けている。封印してきた「元五輪代表」の肩書も、素直に使えるようになった。

2022年5月に婚姻届を出した夫も柔道経験者だ。「誰もが集える町道場を開きたい」と夢を聞かされているが、彼も強い選手の育成には興味がない。そんな柔道になら、また関わってみたいと思える。休みの日は陶芸教室に通いながら。


（✎名古谷　📷今里）

◉もし勝っていたら

もしあの五輪で勝っていたら、本当にやりたいことに出合えなかっただろう。柔道以外の広い世界を見たくても、自分の意志とは関係のないところでレールが敷かれてしまった気がする。五輪に出るまでは選手としてちょっとうまくいきすぎた。やめた後はいろいろ悩んでつらかったけど、思いもしない自分の新たな側面を知った。回り道は全然無駄じゃなかった。

アスリートは競技をやめた後のセカンドキャリアが難しい。勝負と隣り合わせの刺激の強い毎日を送っていると、世の中の普通の仕事が物足りなく感じられてしまう。でも、それに匹敵する何かがいつか見つかる。信じて前に進んでほしい。

29 暗闇から、春の日だまり　震災契機、手にした白杖

吉田千寿子（東日本大震災被災者　86）

吉田千寿子は、滑らかな手つきでティッシュを着物の襟元の形に折り畳んでいく。「肌さ沿うように、端をキュッと」。東日本大震災後に移り住んだ岩手県陸前高田市の自宅の居間。修業時代、師匠の着付けをまねて繰り返した手技が、視力を失った今も身に染みている。

◇魔法

幼かった日、陸前高田市広田町の実家近くで偶然見かけた花嫁の姿に魅了された。真っ黒の留め袖、色鮮やかな帯。「質素だけど、華やかで」。中学卒業後、美容師に弟子入りし、住み込みで技術を身に付けた。

20代半ばの春、地元で美容室を開く。その日、庭先に咲いたタンポポに「頑張んねば」と誓った。カットやパーマだけでなく、花嫁にヘアメークを施し、着付けて晴れ舞台に送り出す。「魔法がかかったようにきれいになるの」。誇らしさが胸にあふれる。

46歳のある日。いつものように店に立ち、お客さんの右眉を描いていたら、眉山を境に耳側の

視界が急になくなった。まばたきするうちに戻ったが、不安に襲われた。

診断結果は緑内障。徐々に視力が低下し、いずれ両目とも見えなくなると告げられた。「今日はあそこまで見える。だけど1週間後にはどうなの」。誰もいない部屋で、手のひらで目を覆い、光のない世界を想像する。「死にたい」と思った。

スタッフ全員の働き先が決まった後で、生きがいだった店を閉めた。56歳になった吉田は、左目を失明していた。

視覚障害者であることを周囲に示す意味もある白杖。市に申請して手元に置いたが、使うことはできなかった。特に近所は絶対だめだ。美容師時代を知る人に見られることは耐えられなかった。人の手など借りたくはない。家にこもりがちになった。

新たな病魔が追い打ちを掛ける。2010年8月。突然、自宅トイレで腹痛に襲われ、気を失った。救急搬送され、8時間に及ぶ手術を受けた。診断は大腸がん。医師から、余命数カ月と告げられた。右目の視力は、かろうじて光を感じる程度まで衰えていた。

◇巾着袋

自宅で療養中だった11年3月11日、震災が起きた。同居の娘は仕事に出ていて一人きり。ベッドに寝たきりの状態だった吉田は、激震の中、やっとの思いで起き上がり、四つんばいで掘りごたつの下に潜り込んだ。

「助けを求めても、人に迷惑をかけるだけ。生きていても何の役にも立たない。このまま死んだ方が良いのでは」。家族の顔が走馬灯のように脳裏に浮かんだ。

たんすから何かが落ちた。手で探ると、抗がん剤が入った巾着袋（きんちゃくぶくろ）。飲まないと命はないと言われていた。その手触りに「大切なものだ」との思いがこみ上げ、とっさに胸に抱えた。「逃げもせずに死ねば、家族が悔やむかもしれない」。巾着袋を握り締めて外に出た。

「逃げろ、逃げろ」と叫ぶ声。子どもが泣いている。猛スピードで走り去る車の音、クラクション。庭に立つ吉田に声をかける人はいなかった。

急に静寂が訪れた。音のない世界に恐怖がこみ上げる。

「かよちゃーん」

たまらなくなって、向かいに住む友人に助けを求めた。気付いた友人に手を引かれ、近くの寺に避難できた。「あんたも生きてた」「いがったな」。近所の人たちと抱き合って無事を喜んだ。

自宅は津波で流され、寺で2カ月半に及ぶ避難生活を送った。最初はこれまで通り、見えないのに、見えているふりをしていた。だが慣れない場所での暮らしで、娘もずっと付き添ってはいられず、限界を感じるようになった。

白杖は津波で流されたが、支援者が新しいものをくれた。ある日、手に取って寺の中を歩いていたら「それ何なの」と子どもの声。「ばあちゃんの目だよ」。とっさに答えていた。それからは廊下で迷っていると、子どもが声をかけて導いてくれるようになった。

寺を出て仮設住宅に移るころには「人の手を借りながら、生きられるだけ生きてみよう」と思えるようになっていた。

◇春のにおい

あれから12年、右目の光も失った。一日の大半を自室で過ごす吉田の楽しみは、頭の中で体験を基にした絵本をつくることだ。

昨春、親族が聞き取って二つの物語にまとめ、イラストを添えて製本してくれた。それぞれ数冊だけのささやかなものだが、吉田は気にするそぶりもなく「生きている証しを置いて逝く」と無邪気に笑う。

主人公は目が見えない「ちいばあちゃん」。一つは震災の日の物語。もう一つでは、震災を生き延び、ボランティアに手を引かれ、花見に出かける。「ふんわり、ふかふかするような、春のにおいがする道を、一歩また一歩と進みます。なんて気持ちのいい、あたたかな春の日だろう」

（✎大石 📷鷺沢）

◉意外と朗らか

じわりじわりと見えなくなって「死にたい」と思っていたころ、息子が言ってくれたよね。「何でも自分でやろうとするから苦しいんだ。できないことはやってもらえばいい」。はっとして、家族には頼れるようになった。でも外では変われなくて。意地を張っていたのかな。人の顔色も、見えなくなっていたのに。

見えるふりをしていた当時、神経を使って毎日くたくたに疲れていた。今は外出に白杖を欠かさない。困っていたら手を貸して、というサインになるから。出会いが増え、気持ちも軽くなった。言い表せないような苦しみがあることは変わらないよ。だけど毎日、意外と朗らか。

30 共に生きる未来が見えない　システム内で探った最善

大内紀彦（特別支援学校教員　47）

2022年の夏休み明けのある日、神奈川県の鶴見養護学校（23年4月に鶴見支援学校に改称）の教員、大内紀彦にうれしい出来事があった。「おおうちせんせい」。担任をしていた中等部1年の女子生徒が、何のヒントもなしに、初めて自分の名前を呼んだ。

女子生徒は知的障害があり、入学以来、大内の名前を言えなかった。小学校の恩師の名前と混同しているようだった。

「それが、この子が物事を覚えるペースだから」。一人一人に寄り添い、それぞれのゴールを目指して手厚い支援をする。大内は、生徒たちと過ごす毎日をいとおしく思っている。一方で、強い疑問も抱いている。

◇引っかかり

36歳で特別支援学校の教員になった。大学卒業後、文化交流史の研究者を目指し、イタリアに6年間留学した末に挫折。帰国後、大学に通い直して教員免許を取った。

極端に忙しい通常学校は避けたいという思いと、障害児がよりよく生きる手助けがしたいとの素朴な正義感から選んだ。一方で、特別支援学校の役割に引っかかりを覚える自分がいた。障害児を手厚く受け入れるのは、見方を変えれば、地域の通常学校で学ぶ健常児を「邪魔しない」のが目的であるように思えた。

障害の有無で学びの場を分けるシステムに違和感を持っていても、現場ではシステムを維持する歯車の一部になることを求められる。矛盾は自覚していた。ただ、仕事にはやりがいがあった。数年かけて1人で着替えられるようになった生徒に確かな成長を見いだす。同級生になじめない卓球好きの生徒と、毎日ラリーをして関係を築く。常に数十人の子どもと向き合う通常学校よりも、やりたいと思う教育ができる充実感があった。

◇終着点

行き詰まりを感じたのは、高等部3年の担任を初めて受け持った17年のことだ。当時勤務していた特別支援学校は、知的障害や発達障害の生徒が通っていた。1、2年時に担任をした生徒で、とりわけ思い入れがあった。

卒業後の就労先を探す必要があったが、障害が重い生徒が多く、一般企業や公的機関での就労は望みづらかった。大内は保護者や生徒と共に、地域の福祉作業所を回ることにした。作業の管

理者を除くと、どこも障害者しかいない。目の当たりにして衝撃を受けた。

ボールペンを組み立てたり、ダイレクトメールを封入したり。軽作業に黙々と取り組む姿があった。教え子は健常者と関わりを持たず、それを10年、20年、30年と続ける。終着点がここならば、何のための手厚い教育なのか。

東京五輪・パラリンピックの開催に向け、障害の有無にかかわらず共に生きる「共生社会」という言葉が広がりつつあったが、目の前の現実とはかけ離れていた。しかし、就労先がなければ居場所は自宅しかない。保護者は、わが子と社会をつなぐか細い糸をたぐり寄せようと必死だった。

特別支援学校の卒業生が年々増える中、受け皿は限られ、障害が重いほど状況は厳しい。大内は、悩む保護者を励ました。「この手苦労の末に作業所との話がまとまると、共に喜びながら、心の底に苦い思いが残った。「この手で送り出していくのか」

この年、最後まで就労先が決まらなかった生徒がいた。発達障害で気分の波が大きく、困りごとがあっても、人に助けを求められなかった。
卒業後を支える地元の役場に積極的な支援を何度も求めたが、担当者の反応は鈍い。放っておけず、知人に就労支援を頼み、障害年金を受け取る手続きを手伝った。「自分が最後のとりでだと分かっていたから。でも、助けられたとは言えない」。時折返ってくるLINEのメッセージからは、地域でつながりを築いている様子は読み取れなかった。

◇届く言葉を

大内はかつて留学したイタリアに再び目を向けるようになった。約50年前、障害にかかわらず地域の学校の同じ教室で共に学ぶ「インクルーシブ教育」にかじを切った先進地。今や特別支援学校はほとんど存在しない。

仕事の後、自宅でイタリア語の文献を読み込んだ。学校の中で共に学び豊かな関係を築く経験が、共生社会の実現につながる。それは決して夢物語ではないと学んだ。こんな未来もあり得ると伝えたくて、2022年秋、現地のインクルーシブ教育の理念や実践を紹介する翻訳書を出版した。

読者からは「特別支援学校の方が手厚い支援が受けられる。保護者も望んでいる」と否定的な声も届く。日本の現状はその通りだと思う。でも、分けられた場所でどれだけ理想の教育を施しても、その先に、共に生きる社会はない。

文献で得た知識に血肉を通わせ、「共に学ぶなんてきれい事だ」と言う人にも届く言葉を紡ぎたい。大内は23年4月、イタリアの子どもたちと向き合うため、職場を1年間休職し現地へと向かった。

（✎小田　📷京極）

◉理想と現実の橋渡し

保護者も自分も、福祉作業所の職員も、誰もが一生懸命なのに、教え子が豊かに生きる未来が描けない。そのもやもや感は、どうすれば振り払うことができるだろう。文献に軸足を置く学者のように、頭で考えるのも悪くないけど、君の武器はそれだけじゃない。

翻訳書の出版をきっかけに、僕は今の教育システムを支持する人たちと意見を交わした。すぐに納得を得るのは難しいと肌で感じた。一人一人の思いを受け止め、少しずつ理想と現実の橋渡しをするしかないんだろう。

泥くさい？　その通り。でも、逆に考えれば今日からだって始められる。子どもたちはあなたの目の前にいるんだから。

31 わが子の思いに近づきたい　後悔の念、登山の道へ

浅井(あさい)道子(みちこ)（那須雪崩事故遺族　57）

あの日の朝は雪が降っていなかった。「学校まで送ろうか」。浅井道子が息子譲(ゆずる)にかけた最後の言葉は、いつもの何げない一言だった。「いや、大丈夫」。そう言って自転車に飛び乗った譲が雪山から帰ってくることはなかった。2日後のほぼ同時刻、雪崩(なだれ)が起きた。高校2年生の17歳。早すぎる死だった。

◇父の背中

2017年3月27日午前、栃木県那須町で高校生ら計8人が犠牲となった。県高等学校体育連盟主催の登山講習会に参加した県立大田原高の生徒と教員で、譲もその1人だった。

午前10時過ぎ、那須塩原市内で勤務していた道子の携帯が鳴った。小学生だった娘の千鶴(ちづる)からだった。「高校から電話あったよ」。しばらくして、何台もの消防車と救急車がけたたましく走る音が聞こえてきた。

「高校生が雪崩に巻き込まれ、心肺停止だって」。ニュースを見た同僚の一言で道子は職場を飛び出した。後輩の先導役をしているはずの譲は、駄目かもしれない。直感的にそう思った。

搬送先の病院に行くと譲が横たわっており、体は冷たかった。左手の甲にはボールペンで「水」の文字がにじんでいた。水を忘れた後輩のために、いつも自分が数リットル多く持っていく子だった。

譲が山に登り始めたのは6歳。自発的というよりも高校、大学と山岳部だった夫慎二(しんじ)が、半ば強引に連れ回したからだった。譲は黙々と慎二の後を歩き、一切弱音を吐かなかった。

「山岳部に入ろうかな」。高校に入学して間もなく、ふと相談してきた。以降、週末になると夫が愛用していたウエアを身にまとい、県内外の山に挑んだ。道子は譲が慎二の背中を追いかけているように思えた。

◇信頼関係

だが、雪崩事故が全てを変えた。朝起きると、譲がいない現実を突き付けられる。夕暮れ時、帰宅途中の高校生を見ると自然と涙が頰を伝った。心を病まないようにと心理学を勉強して気持ちを落ち着かせた。

譲が読んでいた本を片っ端から図書館で探し、出場したマラソン大会でも同じコースを走ってみた。何を考えていたのか、少しでも理解したかった。そんな時間だけは悲しみを忘れることができた。

安全講習はきちんと行われたのか。元顧問らに雪崩の知識はあったのか。漫然と指導していたのではないか。元顧問から届いた手紙を見ずに、破り捨てたこともあった。

怒りの感情と同じくらい後悔の念も持ち続けた。「あの朝、なんで学校に中止を求める連絡をしなかったんだろう」

気持ちが変化し始めたのは、1年後の事故現場近くで行われた追悼式だった。雪解けで輝く那須山を見上げると、コバルトブルーの空が広がっていた。「譲はここで笑って過ごしているんだ」と思うことにした。

登山経験が少ない道子だったが、少しずつ山に足を運ぶようになった。大田原高山岳部ＯＢ会が部活を見守る活動にも、21年夏から参加し始めた。後輩を大切にした譲の思いを引き継ぎたかった。「事故で廃部になったら、悲しむかなと思って」。山道を歩くとふわふわと付いてきて見守ってくれている気がした。

同行しながら山岳部の活動の一端を垣間見た。顧問は事前に山頂まで登って安全を確かめ、生徒のけがを想定して何十キロもの荷物を背負っていた。部員は顧問の背中を見て進む。厳しさの中に信頼関係が見て取れた。

譲たちもこんな関係だったのだろうか。「山の師匠」と慕っていた元顧問と銭湯やラーメン屋に行ったことを、譲が楽しそうに話していた姿を思い出した。

◇捨てた憎しみ

昨年、5遺族が県や元教員などに損害賠償を求めて提訴した。だが、浅井家が裁判に加わることはなかった。裁判を通じて事故と向き合う遺族もいるのは理解している。ただ、道子は憎み続けるよりも、その分のエネルギーを登山にぶつけた。慎二も同じ思いだった。「憎む気持ちは捨てたかったんです。それが生きる原動力にはなりませんでした」

夫婦は22年末、業務上過失致死傷罪に問われた被告の教員3人の公判に出席した。元顧問は終始無言で目をつぶっていた。

道子はもし話す機会があれば、ずっと言いたいことがあった。「先生と山登りしたいです。今後どうしたら事故が起きないか、山で生徒たちと一緒に考えましょうよ」

ある日、にぎわいが去ったリビングで娘の千鶴がつぶやいた。「やっぱり4人がいいね」。道子は、はっとした。この5年間「遺族」と呼ばれ続け、夫と娘の3人暮らしに無理やり慣れようとしていた自分に気付いた。

無理して生きる必要はない。登山と同じだ。休みながら一歩ずつ、私たち家族のペースで歩んでいけばいい。一辺が空席のこたつを見て、そう思った。

（✎待山　📷京極）

◉最高の人生を送った

譲を失って、全てがゼロになったと思っているよね。さんざん人生の浮き沈みは経験するけど、やがて譲を大切にしてくれた人たちと出会い、彼らが私の世界を広げてくれます。「譲は一生懸命生きて最高の人生を送った」ときっと思える。

怖がらずに登山をしてみてください。山は譲を奪ったけど、譲が本人らしくいられる舞台でもあったことがだんだん分かってきました。山に行けば、憎しみなんか忘れて譲に会える気がします。

譲に代わって、山岳部の後輩たちを見守ることになるなんて想像もしませんでした。譲の後を追いかけて、譲に恥じないように生きる。今の私は不幸ではありません。

32

おまえの努力が足りない　再生懸け意地ぶつけ合う

白木浩一郎（しろき こういちろう）（老舗旅館元経営者　51）

朝一番、社長の父は全従業員を宴会場に呼び集め、旅館が破産したことを告げた。7代目を継ぐはずだった専務の白木浩一郎は、黙って傍らに立っていた。

父は従業員に頼んだ。「無報酬になるだろうが最後のお客さんがチェックアウトするまでの6日間、営業を継続したい」

無言でうつむいていた従業員たちは、営業時間になると持ち場に散らばった。葬式のような朝の雰囲気はうそみたいに、皆が顔を上げ笑顔で接客している。「本当につぶれたんですか？」。客が信じられないという様子で尋ねてきた。

山口県長門（ながと）市にある老舗旅館「白木屋グランドホテル」は2014年、創業150年を目前に経営難で倒産した。世の中に閉館が伝わると、図らずも予約が殺到した。

「ここで結婚式を挙げた」「家族で行った思い出の場所」。最後の数日間は、満室のまま営業を終えた。たくさんの人に支えられた旅館だったことを白木は思い知った。

◇坊ちゃん

東京で勤めていた大手商社を辞め、地元に戻ったのは2000年、28歳の時だ。父が心筋梗塞で倒れた。病院に駆けつけた息子に、開口一番に言った。「帰ってこんか」。漠然と思っていたその時は、想定より早くやってきた。

だが、経営のことも旅館のことも何も知らない。知っていたら、ちゅうちょしたかもしれない。社長の父と会長の伯父の下、専務として実質的な経営を担った。フロントや仲居さん、調理師など従業員は総勢約130人。緊張の中、あいさつ回りをすると「だっこしていた坊ちゃんが帰ってきた」と喜ばれた。

最初の年、売り上げは14億円を超えたが、赤字だった。すぐに経費を削減した。料理の質を改善し、ブログでの情報発信など、やれることはすべてやった。

帰郷した働き盛りの跡取りは、古びた街にとって「期待の星」だった。商工会議所から消防団まで、あらゆる地元団体に参加し、当たり前のように休日はなかった。

3年で収支が改善し、再生の光は差したが、以降は右肩下がり。毎月数百万円の支払いに追われたが、「待ってくれ」と業者を説得した。老朽化した施設の至る所でトラブルが起きる。営業を終えると、手にはじっとりと汗がにじんだ。

帰郷後に結婚した妻は娘を出産した。だが、家族との時間を大切にする余裕は全くなかった。

◇時代遅れ

バブル期の増改築で、旅館は宴会場や100を超える客室を抱えていたが、白木が専務に就いた頃、旅行形態は団体から個人へとシフトしていた。インターネットからの直接予約も普及した。口コミを見れば「老舗」ではなく「ただの古い旅館」と評されていた。旅行業者からは値下げの要求が続き、次第に価格破壊の波にのまれていった。

設備の故障が相次いだ13年、耐震診断が義務づけられ、大規模改修が必要になった。

もう、借りるあてはどこにもない。役員会の議題も、解決できない問題ばかりだった。それでも、営業を担ってきた伯父はいつもの昔話を始める。「私は駅前で旗を振ってお客を連れてきた。おまえの努力が足りない」

黙って聞いていた白木も、禁断の言葉と分かりながら言い返す。「考え方が古い。時代遅れだ」。何度も繰り返した家族げんかが、何時間にもわたって展開される。

父はただ黙っていた。ホテルを育て繁盛させた伯父の下で、父は人件費を「生活費」と呼んで絶対に削らず、付き合いの長い業者を大切にしてきた。従来のやり方を守りたい伯父と父は同じ気持ちなのだろう。意地のぶつかり合いは、どこまでいっても平行線だった。

◇恐竜

14年1月に破産が決まり、翌年ホテルの解体が始まった。自宅の窓から、客室や宴会場が取り壊されるのが見えた。

父はその直前に膵臓(すいぞう)がんで他界した。伯父もその期間は地元にいなかった。かつてのにぎわいを知る2人が、この光景を見ずに済んだのは、せめてもの救いだった。

白木にとって引き継いだホテルは恐竜のように巨大で、乗りこなそうにも身に余る存在だった。「こんな小さな所に立っていたんだ。あんなに大きかったのに」。更地を見てそう思った。

肩書を失い、地元団体のすべての役職から任を解かれた。街の期待を背負っていたはずが、従業員すら守れず、家庭も顧みない経営者だった。

残務整理が終われば、日雇いのペンキ塗りで生活費を稼いだ。「今更、他人の目を気にする気も起きなかった。一番身近な人たちをおろそかにしたくない」。ゼロから体を使って働くのは、逆に気持ちがよかった。

跡地は新たなホテル業者が買い取り、街は姿を変えた。自分はと言えば2年前、街の中にある自宅の1階でカフェ兼レンタルスペースを始めた。

「小さく、楽しく」。今は乗りこなせる大きさの城があり、家族がいる。（✎佐藤萌　📷今里）

◉財産は残っている

倒産後に営業を続けた6日間は奇跡のような体験だった。いつも通り働く従業員に、心の中でずっと「ありがとう」と「ごめん」を繰り返した。

自分の実力不足はふがいなく思う。ただ、全員の再就職先探しには誠意を持って当たった。旅館業はもちろん営利が目的だが、地域の活動にも長く関わってきたからこそ、近くの旅館が多くの従業員を雇い入れてくれたのだと思う。

従業員たちは皆、それぞれの職場で元気に暮らしている。共に働く者を大切にする姿勢は、何度もぶつかり合った先代が教えてくれたことだ。経営者でなくなった今も関係は続いている。財産は残っているよ。

33 気丈な妻、記憶喪失に　失われた時間取り戻す

山本秀勝（手品師　71）

10年前のその日は前触れなくやって来た。「なんであそこに奈央の写真があるの？」。山本秀勝が帰宅すると、仏壇に飾られた次女の遺影を見て、妻のみよ子が不思議そうに聞いてきた。あたりをキョロキョロ見渡し、混乱している様子の妻を見て、明らかに不自然だと感じた。「奈央はいまいくつだ」。娘の年齢を尋ねると「高校生でしょ？」。十数年分の記憶が欠けてしまっているようだった。

病院に向かう車中も「なんでここにいるの」と繰り返し、すぐに入院することになった。この時初めて、妻の心は限界を迎えていたのだと悟った。「すべて自分のせいだ」と山本は思った。

◇無言

奈央が交通事故で死亡したのはその3年前にさかのぼる。2010年7月、28歳の若さだった。高校卒業後に北海道旭川市の実家を離れ、東京で暮らしていた。小学校の教員採用試験に合格し、記念旅行の最中に岡山県でオートバイを運転していて居眠り運転のトラックに追突された。

数カ月後、謝罪のため自宅にやって来たトラックの運転手に、山本は「娘を返せ」と食ってかかったが、みよ子は全く口を開かなかった。

街で娘と同年代の女性を見るたびに胸が詰まり、同級生の結婚を聞いた時には「そんな未来もあったかもしれない」と妻の目を気にせずおえつを漏らした。感情をあらわにするのは、いつも山本の方だった。

みよ子は仕事一筋の夫に文句一つ言わず、ささいな相談にも乗ってくれた。読書が好きで、励みになる言葉を本の中に見つけると、そっと教えてくれた。「一生懸命生きて修行を積んだ人が天国に行く。悲しいことではないよ」。信頼していた妻の言葉は特別で、つらい気持ちを紛らわせることができた。

◇泣き続ける

山本は旭川市の高校を卒業した後、地元のガス会社に入社し、08年に子会社の常務になった。仕事の付き合いが多く、家でゆっくり過ごすのは年に数日しかなかった。

変わった趣味ができたのは09年のことだ。旅先のタイで、面白半分で小さな手品道具を買った。居酒屋で同僚に披露すると、居合わせた老人施設の理事長に「うちでやってくれませんか」と頼まれた。活動は口コミで広まり、保育園などでも演じた。地域に貢献している充実感があった。

事故から3カ月後、友人に「そろそろ再開しないんですか」と声をかけられた。娘の死後、舞台は全てキャンセルしていた。「子ども好きだった奈央のためにもやった方がいい」。みよ子に背中を押される形で、半年後に活動を始めた。

奈央を失ってから、みよ子は夫の前で気丈に振る舞った。だが、友人に会いたがらなくなり、家にこもりがちになっていたことに、山本は確かに気が付いていた。

ふさいだ気分を開放する場を家の中に見いだせず、押し殺していた悲しみが爆発したのかもしれない。記憶を失ったみよ子を目の前にして、何もしてやれなかった自分を責めた。

記憶が戻らなければ、いずれ奈央の死を説明しなければならなくなる。悲しみを2度も経験すれば「今度こそ、みよ子は本当におかしくなる」。そう考えると怖かった。

幸い記憶は1日で戻った。医師は一時的に記憶が抜け落ちる「一過（いっか）

性全健忘（せいぜんけんぼう）」と診断した。その日、みよ子は午前3時ごろに目を覚まし、奈央が死んだことを思い出して3、4時間泣き続けたという。山本の前でそんな姿を見せたことは一度もなかった。

◆罪滅ぼし

失われた時間を取り戻すかのように、山本は妻と共に過ごそうと努めた。休日に時間を見つけては、車で川や山へ連れ出す。みよ子は遠ざかっていたスケッチを再開し、豊かな自然を前に表情をほころばせた。

山本は「会社を辞めたら2人であちこち出かけて、おいしいものも食べて過ごすべ。手品も一緒に行こう」と約束した。

17年に子会社の社長を退任すると、約束通り2人で公演に出かけた。裏方としてみよ子が道具の出し入れを手伝うことで、マジックの流れもスムーズになり、失敗がなくなった。

それから1年ほどたった頃、以前から患っていたみよ子のがんが再発した。「1人にさせてごめんね」「正月は私がご飯作るから」。入院先から届くメールにも夫を気遣う言葉が並んでいた。

20年12月、妻は帰らぬ人になった。罪滅ぼしのつもりで過ごした時間は、夫にはかけがえのないものになったが、仏壇の前に座ると「もっとできたことがあったはずだ」と後悔がこみ上げた。

手品は今も続けている。「今日もやってきたべ」。公演後に妻に報告するのが習慣だ。「秀勝さん良いことやってるね。その調子で頑張って」。みよ子はそんなふうに言ってくれるだろうか。

（✎小島拓　📷藤井）

◉言葉にしないと伝わらない

奈央を亡くして余裕を失っていたのは、自分一人ではなかったはずだ。それなのに、一方的にみよ子におんぶにだっこになって甘えてしまった。気遣ってくれるのも、言葉をかけてくれるのも、いつも妻の方だった。

最後までみよ子に面と向かって「ありがとう」と言えなかったのを後悔している。夫婦とはいえ態度だけでは伝わらないこともたくさんある。大切な気持ちはちゃんと言葉にしないといけない。目の前に立派な「先生」がいるんだから、しっかり見習わないと。

どんな時にも思いやりを忘れないで。2人で一緒にマジックができる時間は、それほど長くは残されていないよ。

34

確率という言葉が憎かった　諦めた夢、逆張りで再挑戦

大津(おおつ)一貴(かずたか)（元プロサッカー選手　33）

手術前日、病室のベッドの上。がんを告知されたショックから立ち直れずにいた大津一貴の脳裏に、降ってくるように考えがわいた。「死ぬかもしれないなら、サッカーがしたい」。この時22歳。既に就職して働いていた。少年時代に抱いたプロ選手の夢は、諦めたはずだった。

◇遠い位置

中学時代、所属していた札幌のサッカークラブで頭角を現した。全国から優秀な選手を集める合宿に呼ばれ、後に有名になる香川真司や吉田麻也と汗を流した。海外で活躍するプロを目指し、強豪の青森山田高に進んだ。

365日の練習と寮生活。周りのレベルが高く、なかなかAチームに上がれない。競い合う同級生が昇格を告げられても自分は呼ばれない。結果を出そうと焦り、たまに出場しても独りよがりのプレーに。空回りが続き、次第に自信を失った。

「周りには言えなかったけど、ボールを見るのが嫌になり、気持ちは半分折れていた。高校でだめならプロは厳しいかなと」。それでも、地元を離れる時、親や友人に背中を押してもらったことを思うと、やめるという決断はできなかった。

3年になるとようやくAチームに上がり、途中出場の機会が増えた。最後の大会、全国選手権の1回戦。1対2と劣勢の後半、ピッチに立った。

ゴール前、目の前にボールがこぼれてきた。2、3人を抜き去りシュート。だが勢いがなく、ディフェンダーに止められた。そのまま敗れ、大津の高校サッカーは終わった。悔しさの半面、ほっとした気持ちもあった。

力があれば、1年からでも抜てきされる世界。3年間、イメージした姿からは遠い位置にいることを実感し続け、もがくのに疲れていた。

大会前に進学が決まっていたため、大学でも競技を続けた。入部直後から活躍し、サッカーを楽しむ気持ちも戻ってきた。しかし、チームにプロを目指す選手はほとんどおらず、上を目指そうとは思えなかった。2012年春に会社員になり、ボールを蹴ることはなくなった。

◇夢物語

住宅リフォームの営業として、商談や工事の発注、現場管理など、忙しく働いた。仕事は楽しかったが、入社から約半年たった日の入浴中、違和感に気付く。片方の睾丸（こうがん）が大きくなっていた。

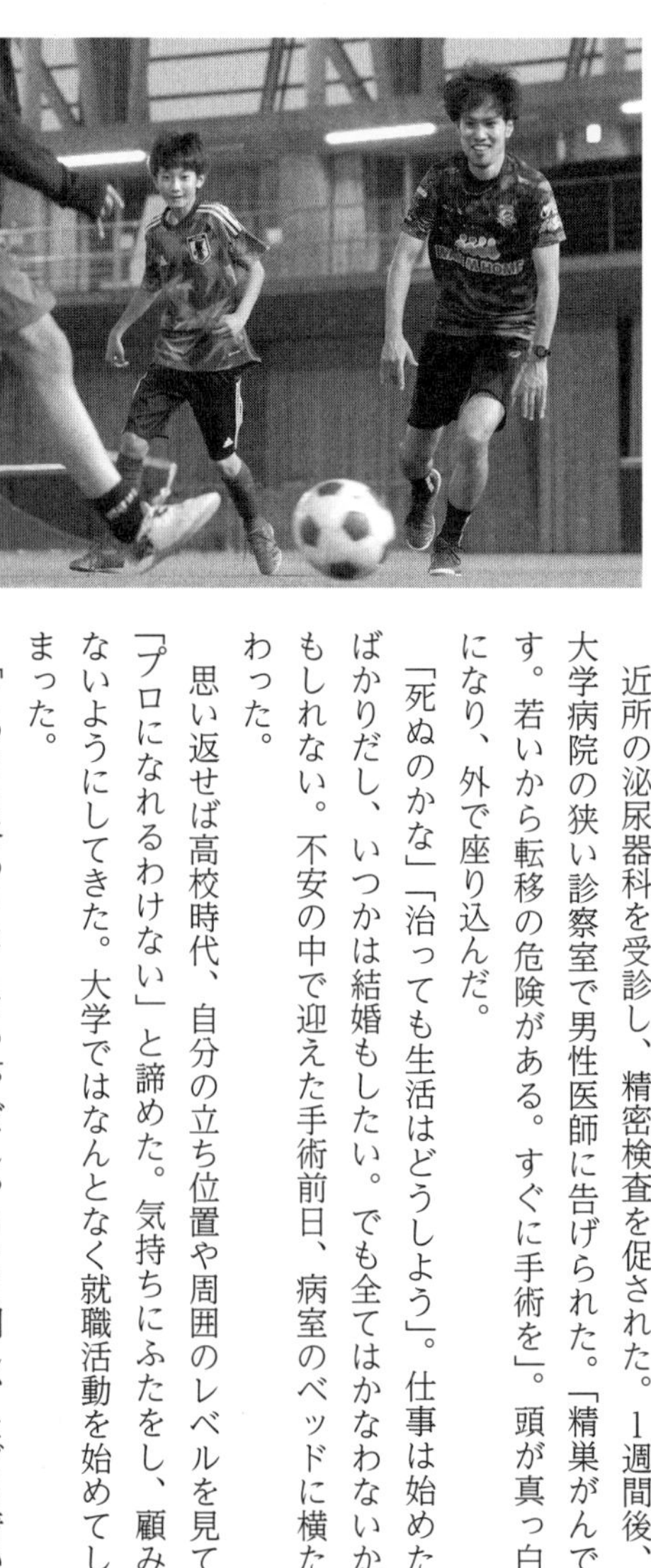

近所の泌尿器科を受診し、精密検査を促された。1週間後、大学病院の狭い診察室で男性医師に告げられた。「精巣がんです。若いから転移の危険がある。すぐに手術を」。頭が真っ白になり、外で座り込んだ。

「死ぬのかな」「治っても生活はどうしよう」。仕事は始めたばかりだし、いつかは結婚もしたい。でも全てはかなわないかもしれない。不安の中で迎えた手術前日、病室のベッドに横たわった。

思い返せば高校時代、自分の立ち位置や周囲のレベルを見て「プロになれるわけない」と諦めた。気持ちにふたをし、顧みないようにしてきた。大学ではなんとなく就職活動を始めてしまった。

「このまま終わりたくない」。ぼんやりと自問し、たどり着いたのはやはりサッカーだった。死を意識したことで、置かれた環境や年齢を無視して出てきた答えが「何も肉付けされていない純粋な気持ちだ」と確信した。

手術は成功したが、放射線治療の副作用が重く体重はみるみる減った。「本当に確率という言葉が憎かった。若くしてがんになることはまれだし、副作用の確率も低いと聞いていた。なんで自分ばかり」と嘆いた。

ただ、サッカーへの情熱はもう衰えなかった。歩くことから運動を始め、仕事をやりくりして社会人チームに加わった。周りに夢を語ると「現実的じゃない」「夢物語」と反対された。「でも薄い確率で悪いことばかり引くのなら、逆もある。プロになれたらヒーローだ」。そう思い、不安や焦りを乗りこえた。

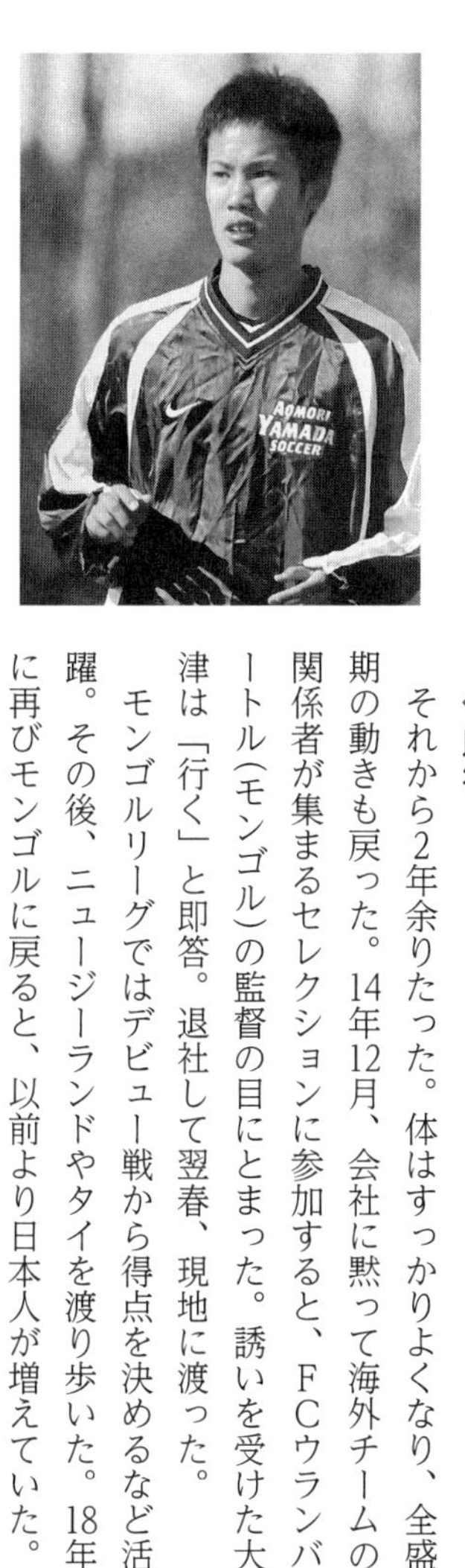

◇即答

それから2年余りたった。体はすっかりよくなり、全盛期の動きも戻った。14年12月、会社に黙って海外チームの関係者が集まるセレクションに参加すると、FCウランバートル(モンゴル)の監督の目にとまった。誘いを受けた大津は「行く」と即答。退社して翌春、現地に渡った。

モンゴルリーグではデビュー戦から得点を決めるなど活躍。その後、ニュージーランドやタイを渡り歩いた。18年に再びモンゴルに戻ると、以前より日本人が増えていた。

サッカー協会の関係者は「君がここで活躍したから、一気に増えたんだよ」と教えてくれた。

とにかくうれしかった。「そう見てくれる人が1人でもいるだけで、やってきた意味がある」。

大津は計7年間海外でプロ生活を送り、競技を離れた。今は働きながら札幌で子どもたちにサッカーを教え、海外でプロを目指す選手を現地につなぐ個人事業もしている。サッカーから離れることは、もう考えていない。


（✎黒田 📷大森）

◉何があっても逆転できる

突然、がんだと言われて、不安に押しつぶされそうになっているよな。でも、昔から楽しいことが好きで、くよくよしなかっただろ。その性格が救ってくれる。ちゃんと前を向くことができる。そういうふうに育ててくれた親に感謝しないとな。

小さいころからサッカーをがんばってきた。だけど今、本当は全てを出し切ったとは思っていないはずだ。自分の気持ちに気付けたなら、思った通りにやってほしい。

小学生の時、下馬評を覆して強いチームに勝ち、逆境をはね返すのが最大の喜びになった。何があっても逆転できる可能性はある。諦めなければ夢はかなう。君がそれを証明してほしい。

35 さいころ一から振り直し　借金でホームレスにも

奥川拓二（おくがわたくじ）**（会社社長　60）**

25年ほど前のことだ。奥川拓二がホームレスになって、3カ月がたとうとしていた。34歳の夏だった。公園や高架下を渡り歩き、その足は帰巣本能のように大阪市旭区の実家に近づく。だが、すでに絶縁されていた両親の元には顔を出せない。仕方なく少し離れた公園で夜を明かした。

翌朝、水道で顔を洗ってふと見上げると、掲示板に「民生委員」とあって、名前と住所が並んでいる。「困りごと、ご相談ください」。俺、困ってるやん。その1人を訪ねて行った。

経営していたテレビ番組制作会社が破産状態になり、借金から逃げて着の身着のままこうして浮浪していること。なんとか浮かび上がるきっかけをつかみたいと思っていること。だがこのなりで、住所不定では職探しにも行けないこと。民生委員の男性はしばらく黙って聞いていた後、こう言った。「電話しとくから、明日の朝一番で区役所に行きなさい」

◇リスクを取る

「俺の人生、計画通りに行ったことがない」。むしろ誇らしげに奥川は言う。

高校時代からドラムをやっていた。卒業後、自分のバンドでメジャーデビューしたが、直後に腕に大けがをしてドラマー人生は断たれる。人の紹介でテレビの世界に入った。下積みのAD（アシスタントディレクター）から始めて経験を積み、業界に顔も広くなった。独立し、番組制作会社をつくったのは24歳の時。世はバブルだった。

やがて最初の結婚をして子どもも生まれ、会社はどんどん大きくなっていった。だが「順調だと不安や不満を抱く癖がある。先が見通せると、退屈になってしまうんです。そんな時ほど、リスクを取りたくなる」。

テレビ局の下請けに満足せず、自分でスポンサーを探し作りたい番組を作った。そのスポンサー会社が倒産し、制作費をかぶることに。徐々に借金がかさんでいった。

銀行から、消費者金融から、やがてヤミ金融から金を借りるようになる。ひりひりした。いつの間にか負債は1億円を超えていた。「そういう時こそテンションが上がるんです。よし、やったるで、と」。本人はまるでこたえなかったように振り返るが、当時はまだ友人だった現在の妻、

容子(ようこ)は証言する。「ファミレスで食事していて、きつい取り立てに「一生懸命やってんのにな」と、涙を流していました」

◆20万円

民生委員の言う通り区役所に行ったら、20万円貸してくれた。「世の中、捨てたもんやないな」と感動したが、調べると、そんな制度はないという。考えられるのはその民生委員が区役所に金を託し、間接的に貸してくれたということくらいだが、今となっては確かめようがない。

いずれにしてもその金で身なりを整え、安いアパートを借り、携帯電話をレンタルした。職業安定所で紹介された小さな運送会社が雇ってくれた。2トントラックがやがて4トンになり、10トンになった。少しずつ、借金を返していく日々。夜は運転席で寝て、出費は食べるだけ。ひたすら働いた。容子とはその間、電話だけで交際をした。完済するまで会わない。それが奥川の決意だった。

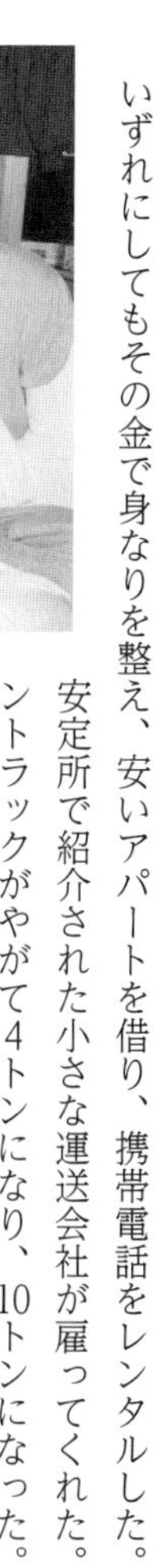

返済のめどが立った時、42歳になっていた。後ろを振り返ることは失速することだった。絶望せずに前を向き走り

続けた8年間。自分はいつかきっと復活してみせる。そう信じて。

奥川は、いかなる状況も上空から見下ろすような視点を持つ。しかも笑いのねたとして。ホームレスをしながら、トラックを運転しながら「俺、今すごい経験をしてるぞ。いつかこの話を誰かにしたらきっと受ける」と思っていた。今も当時の話に人々は笑いころげる。「おもろい社長」の鉄板ねただ。

◇V字回復

そう、奥川はすごろくのさいころを一から振り直し、今では東京を本社に社員40人、年商10億円の会社を経営する身にまで「奇跡のV字回復」を成し遂げた。

東京では六本木のど真ん中に住み、大阪には高層マンションの一部屋を所有する。テレビ番組、CM、イベントなど、幅広く手がける会社は順風満帆だ。だけどどこかしっくりこない。

「老後」なんていう柄じゃない。引退はないと思っている。経営から手を引くには自分の果たす役割が大き過ぎる。だが金はあってもさほど使い道があるわけでもない。仕事も同じことの繰り返しのように思えてくる。この先の人生の張り合いを、どこに求めればいいのだろうか。

もう一度、賭けに出ようと思う。スポンサーに頼らず、自分の資金で自分の作りたいコンテンツを世に出したい。それには投資が必要で、借金もすることになる。だが勝負しないと、生きてるかいがない――。

還暦を迎えた今、ホームレスだった自分の姿を思い起こしている。

（✎岩川 📷京極）

◉普通の暮らしのありがたさ

やたらとかゆいな。ホームレスの敵は空腹でも雨でも風でもない。虫やな。しのぎようがない。

ねぐらにしている公園から、夕方になると家々に明かりがともっていくのが見える。そこに家庭があり、だんらんがある。仕事帰りの人とすれ違う。日々、実直に働く人々の姿がある。

会社をつぶすまで忘れていた、普通の暮らしのありがたさを思い知った。誰かと食卓を囲むことが、仕事があるということが、これほどにもうらやましいやなんて。

もし自分がこの先、浮かび上がることがあったとしても、この気持ちは忘れたらあかん。そやないときっと、また同じことの繰り返しや。

36

苦悩抱きしめ、共に歩む　作業所で「幸せ広がって」

八尾敬子（就労継続支援施設長　55）

ピンク色の壁に赤いひさしと白い扉。かわいらしい外観の建物が兵庫県宝塚市の住宅街の一角にある。高次脳機能障害者のための作業所「珈琲焙煎工房Hug」。ドアを開けると、いりたてのコーヒー豆の香ばしい匂いが漂う。

事故や病気で脳が損傷を受け、認知機能や記憶に影響が出る高次脳機能障害。物覚えが悪い、集中できない、怒りっぽい、言葉が出てこない、こだわりが強いなど症状は人によってさまざまだ。

施設長の八尾敬子とスタッフ、通所者の計7～8人で豆の選別、焙煎や袋詰めをする。雑談をしながら手を動かす人、ゆったりとした動作を繰り返す人。それぞれのペースで作業は進む。「アクセサリー製作やパン、菓子作りも考えたけど、通所する男性たちの反応がいま一つ。コーヒーならなじみがあり、やってみたいとなって」と八尾が振り返った。

◆反発

2014年に開設したハグは障害者総合支援法に基づく就労継続支援施設。八尾の次女宙波が高次脳機能障害になったことが出発点だ。

宙波は小学1年のとき交通事故に遭い、約15メートル飛ばされて全身を強打。意識回復まで1カ月かかった。右目が見えにくい、階段の上り下りが困難といった障害が残った。

通学再開後は集中力が続かず、授業に付いていけない。友達と遊ぶ約束をしたのを忘れるなど記憶に支障も。高学年になると授業が難しくなり、覚える量も膨らむ。帰宅後、疲れてぐったり横になることが増えた。

「宿題は？」。八尾が尋ねてやらせようとすると宙波は反発する。「ずっとこのままでいいのか」「最低限の勉強はさせないと」と八尾は思い詰めていた。「でも娘はそういう〝圧〟に敏感だった」。日々、同じような光景が繰り返され、互いにいらだちを募らせた。

そんなとき宙波が通うプレイセラピー（遊戯療法）の担当者から「無理にやらせなくていいのでは」「何も言わない方がいい」と助言を受けた。割り切れない思いを抱きつつも、働きかけを控えていった。宙波が家で過ごす時間はもっぱら休息に充てられるようになった。

「後から見れば、これが良かった」と八尾は語る。なぜ自分は他の子のようにできないのか、といちばん悩んでいたのは宙波本人。八尾自身がさらに娘を追い詰める形になっていた。

◇働ける場所

ハグを始めたのは宙波が小学6年の時だ。関連の講演会などに参加する中で、家族が高次脳機能障害になった人たちとつながりが生まれた。「働く意欲はあるけれど、仕事を始めるとうまくいかない」「仕事をしていないことで劣等感や不安を抱いている」といった悩みを数多く聞いた。

「安心して働ける所があれば、居場所になるだけでなく、社会の中で役割を果たしていると感じられるようになる」と考えた。いずれは宙波がそこで働けるかも、との思いもあった。

コーヒー豆に関する知識もあまりないところから手探りで始めたハグだが、丁寧な選別や自家焙煎が特徴の商品は次第に販路が広がる。売り上げは当初の倍以上に。通所者に渡す報酬を徐々に引き上げることができた。

宙波が中学に入ると、前日の疲れから朝起きられず登校できない日が増えたが、昼食の用意など必要な世話をしてハグに向かった。それが母娘の間で「ほどよい距離」を取れる要因にもなったと思っている。

宙波は通信制高校に進学。登校して校舎で授業を受けることもでき、自分のペースで学べる。無理をして周囲に合わせる必要がなくなり、次第に精神的に安定していった。

◇水鳥のように

ハグ開設時からのスタッフ萩原ゆう子(58)は八尾を「水鳥のような人」と評する。「いろいろ大変だろうけど周りにそう感じさせない。でも見えないところで、すごい勢いで足を動かしてる」

八尾は「私はできることをしてきただけ」と静かに語る。娘のけがや施設の運営は「全く想像していなかった」。「でも、おかげでこんな楽しいことに」と作業場内で手を広げてほほえんだ。

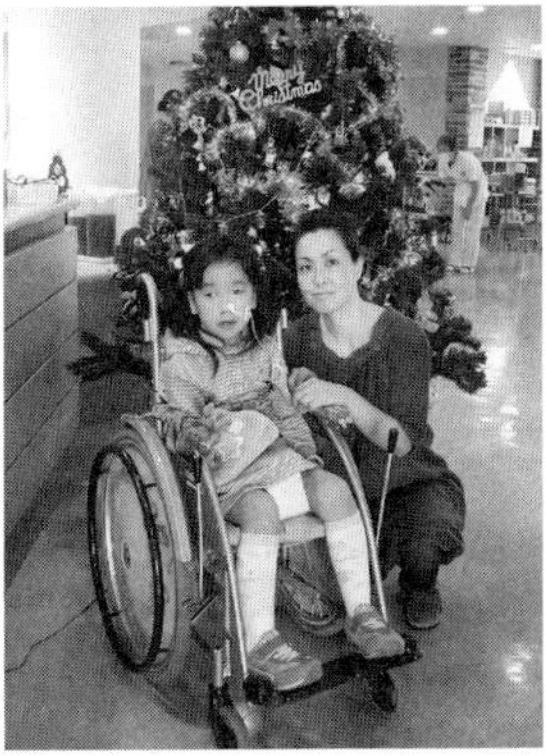

冬のある日、作業の合間に通所者らと近くの公園に散歩に出かけた。焙煎したばかりの豆でいれてポットで持参したコーヒーが振る舞われ、緩やかな時間が流れていく。

「この障害になって、それまで知らなかった世界に触れられたとか、いろんな人に出会えたとか、少しでも前向きな気持ちになってもらえたら」と八尾。実際、暗い表情の通所者が次第に変化する様子を目にしてきた。

「小さな幸せ探し」が大切とも。コーヒーがおいしい、お客さんが喜んでくれた……。「その幸せが伝染したら世の中が良くなる」。つらいことも「抱きしめる」。作業所の名称ハグに込めた思いだ。


（✎福島　📷京極）

◉外に目を向け楽しんで

宙波の苦しさや不安、もどかしさを本当の意味で分かってないいんじゃないかな。あれをさせないと、これをさせないと、なんてことばかり考えてない？　宙波は何より自分の気持ちに共感してほしいんだと思うよ。

一方で、外に目を向けることも大事。家以外に活動する場があれば、悩みを話して違う考え方を知り、光が見えてくるかもしれない。気持ちを切り替え、穏やかに家族と向き合うこともできる。

いろいろな人とつながって、自分の人生を楽しむこと。一歩踏み出せばすてきな出会いが待っている。当事者や家族だけで問題を抱え込まず、みんなで支えようという世の中にしていきたいね。

37 避難の経験、そっと横に　切り離そうと思ったことも

高橋恵子（原発避難住民 30）

2015年春、福島大4年だった高橋恵子は、仙台市で開かれた国連防災世界会議に登壇した。11年3月11日の東京電力福島第1原発事故で故郷を追われた避難者として、経験や放射線教育の重要性を英語で訴えた。「今回の話が教訓となり、原発事故が二度と起きないことを願います」

原発事故後に何度もこなしてきたスピーチは、その日も堂々としていた。「福島を背負っているような気持ち」だった。

しかし、その頃から使命感と自分の本心がうまく調和していないように感じ始めていた。

◇温度差

福島県大熊町で、3代続けて林業を営む家に生まれた。地域史に詳しい父親と一緒に、幼いころから町を散策するのが好きだった。集落にある山の神をまつった石碑の前を通りかかると手を合わせ、自然の恵みに感謝するのが日常だった。

原発事故が起きた当時は高校3年生。自宅は原発から約5キロの場所にあり、避難指示が出さ

れたため親戚の住む山梨県まで避難した。翌4月、家族と離れて1人、福島大（福島市）に入学した。

強制避難の経験者は周囲にほとんどいなかったが、福島県内から多くの学生が集まる環境なら事故について語り合えると期待していた。だがある時、同級生の1人に「つらかったことを聞いてほしい」と話しかけると、のらりくらりと話題を変えられた。やりとりを見ていた先輩からは「話さなくていい」と諭（さと）された。放射性物質の影響を気にしているのも自分だけ。温度差を感じた。

ちょうど、首都圏の民間団体が米国で被災体験をスピーチする若者を募集していることを知った。手を挙げ、12年にニューヨークなどを巡った。真剣に聞き入る聴衆を前に、手応えを覚えた。

これを契機に、国内外での講演や取材などの依頼を次々引き受けた。大熊町の会合に若者として参加し、町の復興について意見した。周囲から政治家になるよう勧められたこともあった。

◇引きはがしたい

ただ、いつも高揚感に包まれていたわけではなかった。

15年3月上旬、国連防災世界会議の準備のため、大熊町の自宅に久しぶりに一時帰宅した。

「丸ごとタイムカプセルみたい」。防護服を着て自室に入ると、懐かしさがこみ上げた。小中学生のころの作文や通知表、交換日記帳がそのまま残っていた。しかし、雑草が生い茂った住宅街は静まり返っていた。県内外に散らばった幼なじみが、盆や正月に集まる場所もない。日常が戻るとは、思えなかった。

国や町は町内のハード整備などに巨額の予算を投じ、復興事業の歩みを止めない。「帰れるのでは、とかすかな期待を抱いてしまう」。故郷への愛着と諦めのはざまで中ぶらりんな状態が続き、苦しかった。「もう帰れない」とはっきり宣告してほしかった。

だが、世界に向けて事故を発信するのに精いっぱいで、自分の内面に向き合う余裕がなく、人前では明るく振る舞ったが、1人になると激しく落ち込んだ。病院ではうつ病と診断された。

就職した後も体調不良が続き、働けなくなった。いつしか「避難者であることを引きはがしたい」と願うようになった。原発事故について公の場で語ることもやめた。

20年11月、大熊町の自宅で解体作業が始まった。帰る場所がなくなったことで、区切りが付いた気がした。同じころ、うつ病ではなく、双極性障害と診断された。「自分の努力の問題なのではなく、これは病気なのだ。後回しにしてきた心のケアをようやく始められる」と受け止められた。

◇背伸びせず

夫で福島県立高講師のダニエル・ロドリゲスが、そばで支えてくれた。エクアドルに生まれ、経済危機の影響のため6歳で米国に移住。両親は苦労して生計を立て、より安定した職を求めて各地を転々とした。友人ができてもすぐに別れ、いつも孤独だった。

大学卒業後の17年に外国語指導助手(ALT)として訪れた福島で2人は出会い、20年に結婚した。高橋は生い立ちを知り「別のストーリーだけれど、同じ経験をしている」と思った。

ダニエルは高橋に「最善を尽くし、後は自然の流れに身を任せること」と伝えた。幼いころから自分ではままならないことにもてあそばれてきたダニエルの処世術だった。「自分を信じていれば、いつかきっと良くなる」

つらい経験をしながら穏やかなダニエルと過ごすうちに、高橋は気付いた。「事故の経験を無理やり切り離そうとするのではなく、自分の横にそっと置いておけばいい。他人にはない、私の一部をつくるものなんだ」

高橋は現在、治療を続けながらダニエルと米国に移住する準備をしている。体調が悪く、思うように動けない日もある。それでも「背伸びせず、今までで一番自分らしく生きられている」と感じている。

（✎三浦　📷泊）

◉荷物下ろして楽に

原発事故が起きた時は、18歳だった。まだまだ子どもで、本当はもっと泣いたって良かったはず。でも、大人にならないと、って思っていたよね。事故を経験して、次の世代のことを考えて行動しないといけないって責任を感じていた。

福島の復興に関わり続け、ばりばり仕事をする大人になるんだと思い描いていたね。だから精神状態が悪くなっても、努力が足りないんだと自分を責めていた。

今の私は、あの時に思い描いていた自分とは全然違う。肩書はないし、治療の影響で朝起きられないことも多い。でも、「こうしなきゃ」という荷物を下ろしたらすごく楽になったよ。

38

生きる意味、取り戻して　乗馬で感じた風の速さに

山下泰三（元会社員　75）

金属バットの甲高い打球音が聞こえたのに視界からボールが消えた。気付いた時にはぼてぼてと体の真横を通り抜けて外野に転がった。草野球仲間からやじが飛ぶ中、ショートを守っていた山下泰三＝京都市在住＝は胸騒ぎを覚えていた。

1985年秋、京都市内の病院で告げられた病名は指定難病の「網膜色素変性症」だった。徐々に視野が狭くなり、失明の可能性もあると男性医師が淡々と説明する。次の一言に耳を疑った。「見えなくなったとしても続けられる仕事に変えましょう」

40代手前で、勤務先の大手通信会社では営業として働き盛りだった。2人の子どもは小学生で、仕事も家庭も大黒柱として周囲を支えていく立場だった。「転職なんて考えられるわけがない」と強がったが、一歩ずつ濃い霧に足を踏み入れるように視力は失われていった。

◇割れた眼鏡

回復する可能性があるなら全て試した。酸素カプセルに視力向上の効果があると聞けば、毎週治療に通った。視野が広がる薬があると知ると、愛知県の大学病院まで行って投与を受けた。

それでも病気の進行は止まらなかった。視界はぼやけ、すりガラスを通しているように見えた。通勤時は道路の白線をたどらないと真っすぐ歩けなくなった。顔をぶつけて眼鏡が割れることもあった。

営業の仕事にも支障が出た。外勤はできなくなり、内勤で使うパソコンの画面も見えなくなった。発症から11年後、事務系の職場に異動を命じられた。左遷（させん）も同然だったが、仕方ないという思いの方が強かった。

異動初日。自分の席の名札が見えず、どこに座っていいか分からなかった。同僚に手を引かれてたどり着けたが毎回助けを借りないといけないと思うと気が重くなった。

翌日、床に何かが貼られていると足裏で感じた。同僚が席までの道が分かるよう粘着テープを貼ってくれていた。優しさに胸が熱くなった。

しかし、与えられた仕事は雑用とも言えないようなものだった。郵便物に切手を貼るだけで、10分も手を動かせば何もやることがなくなった。

◇北海道旅行

終業の時間までほとんど座っているだけなのに給料をもらい、周りから気遣いを受けることが

つらいと感じるようになった。会社にとってお荷物ではないかという焦燥感も日に日に膨らんだ。

「人に世話になってばかりで何もできない不必要な存在やないか」。会社や家族のためにと居続けた場所が、自分を苦しめる場所に変わってしまった。耐えられなくなり、休職を申し出た。

家にひきこもる日々が続き、パジャマから着替える気力もなかった。妻の美恵子は少しでも元気になってほしいと、家族旅行を提案した。子どもたちはそれぞれ北海道と沖縄県に行きたがった。

外出さえ面倒だったが、美恵子の優しさに救われる部分もあった。沈んだ気分には暖かいのは合わないと思い、北海道を選んだ。

札幌市や夕張市を訪れた後、浦河町の牧場に寄った。ソフトクリームを食べて帰ろうとしたが、美恵子から乗馬体験に誘われた。ほぼ見えない状態では断られると思ったが、牧場側は何も問題ないと受け入れてくれた。

◇挑み続ける喜び

初めて触った馬の毛は想像よりも柔らかかった。走り始めると頬で受けた風は、視力を失って以来感じたことのない速さだった。思えば、美恵子の肩を借りてゆっくり歩くことに慣れていた。一定のリズムで響くひづめの音が心地よかった。落ちないようにと手綱をきつく握った拳から、気が付けば力が抜けていた。わずか数分の出来事だったが、笑顔が戻っていた。

旅行から帰って間もなく、完全に失明したと診断を受けた。発症から16年も過ぎ、小学生だった子どもたちも独り立ちしていた。すぐに、会社へ退職の連絡をした。

気持ちは完全に乗馬に向かっていた。患ってから燃え上がるような気持ちを抱いたのは初めてだった。「挑み続ける喜びに飢えていたんやな」

乗馬施設に通い、練習を重ねた。落馬して骨折することもあったが、やめることはなかった。けがの痛みより、生きる意味を取り戻せなくなる方が耐えられなかった。

翌年には乗馬クラブ「身体障害者馬とのふれ愛倶楽部」を設立し

た。参加した障害者にハンディがあっても人生の楽しみは奪われないと伝えた。

ホースセラピーについて学び、カウンセリングの資格も取得した。自分のために始めた乗馬がいつしか人のためになっていた。もう「不必要な存在」と自らを責めることもなくなった。

20年余りがたち、高齢を理由に馬に乗ることはなくなった。それでも初めて顔で受けた風の感触は、暗闇の世界の中で思い出せる。


（✎後藤　📷藤井）

◉足し算の人生を

人生が終わったみたいにずっと悲観的になってたらあかん。好きな野球もゴルフもできへんくなった。慕っていた上司とすれ違ったのに、見えないやろうと思われて無視されることもある。せっかく生まれた孫の顔も見られない。それでもできないことや傷ついたことを数えるより、できるようになったことを数える足し算の人生を送ってほしいわ。

目が見えなくなったって、美恵子が常にそばにいてくれたように、大切な存在は離れていかへん。馬に乗ることも、乗馬クラブを始めていろんな人に出会えることも、見えるままだったら絶対経験できてへん。真っ暗な世界も案外悪くないで。

4

つながる、つなぐ

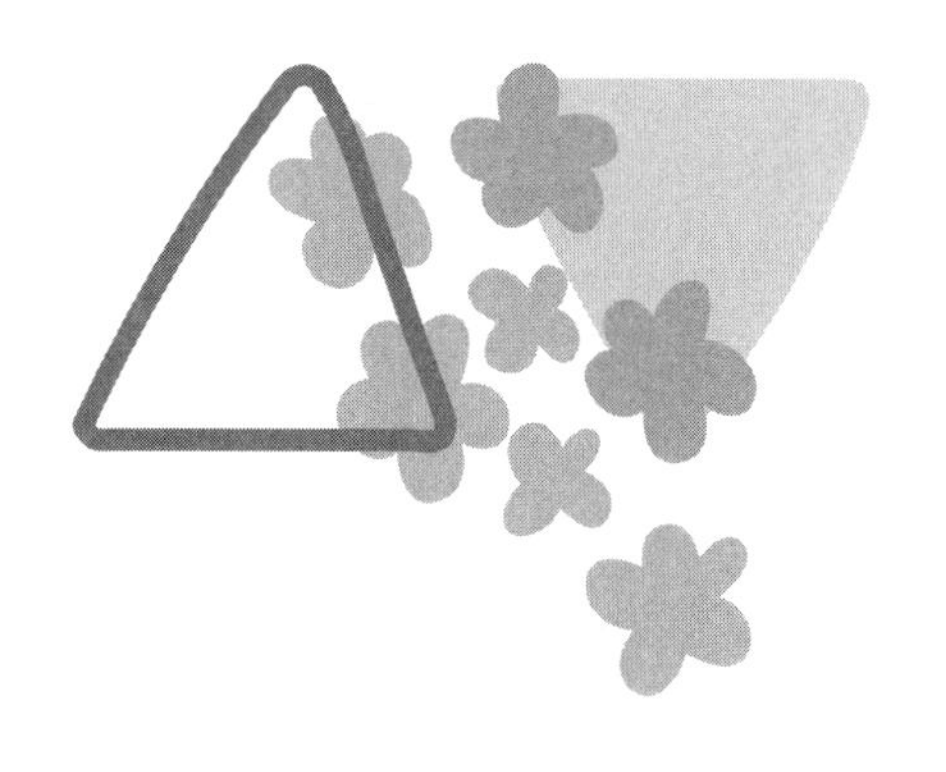

39

息苦しさ、乗り越えて　放浪から「ネクタイ菩薩」

中野民夫（元博報堂社員　66）

インド・デカン高原の大地を乗り合いバスが走る。1980年、東大3年生だった中野民夫は、バスの最後部に1人で座っていた。

人々が降りては乗り、また降りる様子をながめる。外には羊や牛がいて、のどかで雄大な景色が広がる。この人たち、この光景に二度と遭遇することはない。今ここにいる不思議、人間や自然へのいとおしさがこみ上げて涙があふれ、万物との一体感に包まれた。

バックパッカーとしてアジアを放浪してきた。精神世界にひかれ、インドの瞑想指導者に弟子入りも考えた旅だったが、バスで特別な体験をした。もうその必要はない。

旅の途中、急性肝炎で長期入院を余儀なくされ、病床で突然頭に浮かんだのは、意外なことに「企業に入ろう」。放浪から現実の競争社会へ。大きな意識の転換だった。

◆自己解放の旅

暮らすように世界を旅した中野が感じたのは「どこにでも日本製品がある」。現地の人々は日本製品について親しげに話しかけてきた。一方、利益追求に奔走する姿は、エコノミックアニマルとの厳しい批判も呼んでいた。そんな日本企業を中から変えていきたい。

社会問題への目覚めは高校時代だ。「共産党宣言」を読み、革命を志向したが、東大に入って目にしたのは新左翼セクトの凄惨（せいさん）な内ゲバだった。ここに未来はない。

大教室の一方的な講義にも幻滅した。ただ、社会学者の故見田宗介（みたむねすけ）による「自己解放」の思想には共鳴し「主体的に生きるには、授業ではなく旅だ」と胸が熱くなった。入学後間もなく休学。期間工で稼ぎ、77年秋、最初のアジアの旅に出た。

3度目のインドで得た会社員として働く構想。目指したのはネクタイを締めた菩薩（ぼさつ）だ。「現代の菩薩は寺や山の中にいるのではなく、浮世でスーツにネクタイ姿で修行し、人々のために最前線でがんばる」

卒業後は広告大手の博報堂へ。厳しさで知られた大阪での営業職を希望した。「修行だから恐れ知らず。この就職の旅は冒険のしがいがある」。だが、甘くはなかった。

配属先には年の離れた上司がいた。服装や社会人としての行動に極めて厳格な人だった。バックパッカーの自由な暮らしとサラリーマン生活の落差が耐えがたく「とにかく息苦しかった」。半年で体重が5キロ落ち、白髪が増えた。「もうやめたい」。家族に何度も相談し、会社に内緒で塾講師も始めた。

親しい友人の母親が大阪に来た。意気揚々と、「ネクタイ菩薩」を宣言した相手だった。弱音を吐くと、「民夫君、それは百も承知で入ったんじゃないの?」。

胸を突かれた。「ネクタイ菩薩」を志した以上、途中でやめられない。ただ、実績がないと、やりたいこともできない。今まで以上に仕事と向き合ったが、会社の仕事だけでは当然、充足感は得られない。中野は社外での活動を活発化させる。

◆二足のわらじ

取り組んだのは、地球環境や平和問題だ。88年、四国電力伊方原発で出力調整試験が行われた際は、現地での抗議デモにも参加した。平日はほぼ終電で帰宅する猛烈社員、休日は市民活動。二足のわらじを履き続けた。

自らの中で環境問題への比重が高まり、上司に「環境を視野に入れなければ広告業界も立ちゆかなくなる時代が来る。留学させてほしい」と頼んだ。会社の制度にはなかったが、一生懸命に働いて成果を上げてきたため、中野の希望は認められて休職。米国の大学院で3年近く学んだ。

帰国後は市民活動と会社の仕事が乗り入れる形になり、環境意識啓発などの業務を請け負う。かつては社内で環境問題を口にすると、「物が売れなくなる」と叱られたが、「環境のことなら中野に聞け」と言われるようになった。

◇**手応え**

2005年の愛知万博(愛・地球博)で、NPO、NGOが出展するパビリオンとして注目を集めた「地球市民村」は、博報堂が事務局を担った。プレゼンテーションや準備、運営に当たっては、中野の知識や人脈が生き、持続可能性や市民参加をキーワードとする仕事がその後も広がった。

もうけるだけでなく、社会的課題も仕事として取り組めると若い人に思ってもらえた。「ネクタイ菩薩」の活動に手応えを感じる。

博報堂には30年在籍した。その後、大学教員に。参加者が輪になり対等に語り合うワークショップの専門家として、行政や教育、医療関係者の集まりの仕切り役も担ってきた。信条は「ゆっくり少しずつ丁寧に」。企業に代表されるスピード重視、上意下達とは対照的な文化の裾野を広げる。

緑濃い鹿児島・屋久島に「人と人、人と自然、人と自分自身」をつなぎ直す場として06年、「本然庵(ほんねんあん)」を建てた。大学を定年になった今年、リフォームしたこの拠点に時々出向き、学びの仲間と共に過ごす。

(西出 今里)

◉生き生きした姿示そう

会社に入る頃、君は「企業社会を変えたい」と思っていたね。ただ、ある時から「変える」という発想に問題があるのではないか、と考えるようになる。「自分たちは正しい、おまえらは変われ」と捉えられれば、正当性や主張の押し付けと認識され「余計なお世話だ」との反発を招く。

無理に「変える」のではなく、自分が豊かで生き生きとした姿を示し「こっちの水がおいしいよ」と呼び込んで、一人一人の内側や人と人との関係が、静かにゆっくりと変化していくのがいい。

時間はかかるだろうし、とても効率的とは言えないが、そんな「やさしい革命」を探求し続けることが大切だと思うよ。

40 つながりながら縛らない　揺らぐ職業観、引きこもる

内田加奈（作業療法士　45）

世間でもてはやされる故郷の姿を、どこか冷めた目で眺めていた。「そんなにええもんやろか」。徳島県南部の旧海部（かいふ）町（海陽町）は10年ほど前、「自殺の発生率が全国で最も低い自治体」として一躍脚光を浴びた。

生まれ育った土地に愛着はある。ただ、内田加奈にとっては何の変哲もない田舎で、その価値が分からなかった。

海辺の小さな町だ。近所付き合いは活発だが、べたべたしていない。困っている人がいれば手助けし、人にも遠慮なく助けを求める。「右へ倣え」を嫌い、人と違っても排除されない。年長者は下の者に威張らない。専門家は、人と人との緩やかなつながりが自殺を未然に防いでいるのではないかと分析していた。

◇病は市に出せ

いつも多くの大人に囲まれて育った。どの家にも鍵はかかっておらず、祭りや運動会になると、

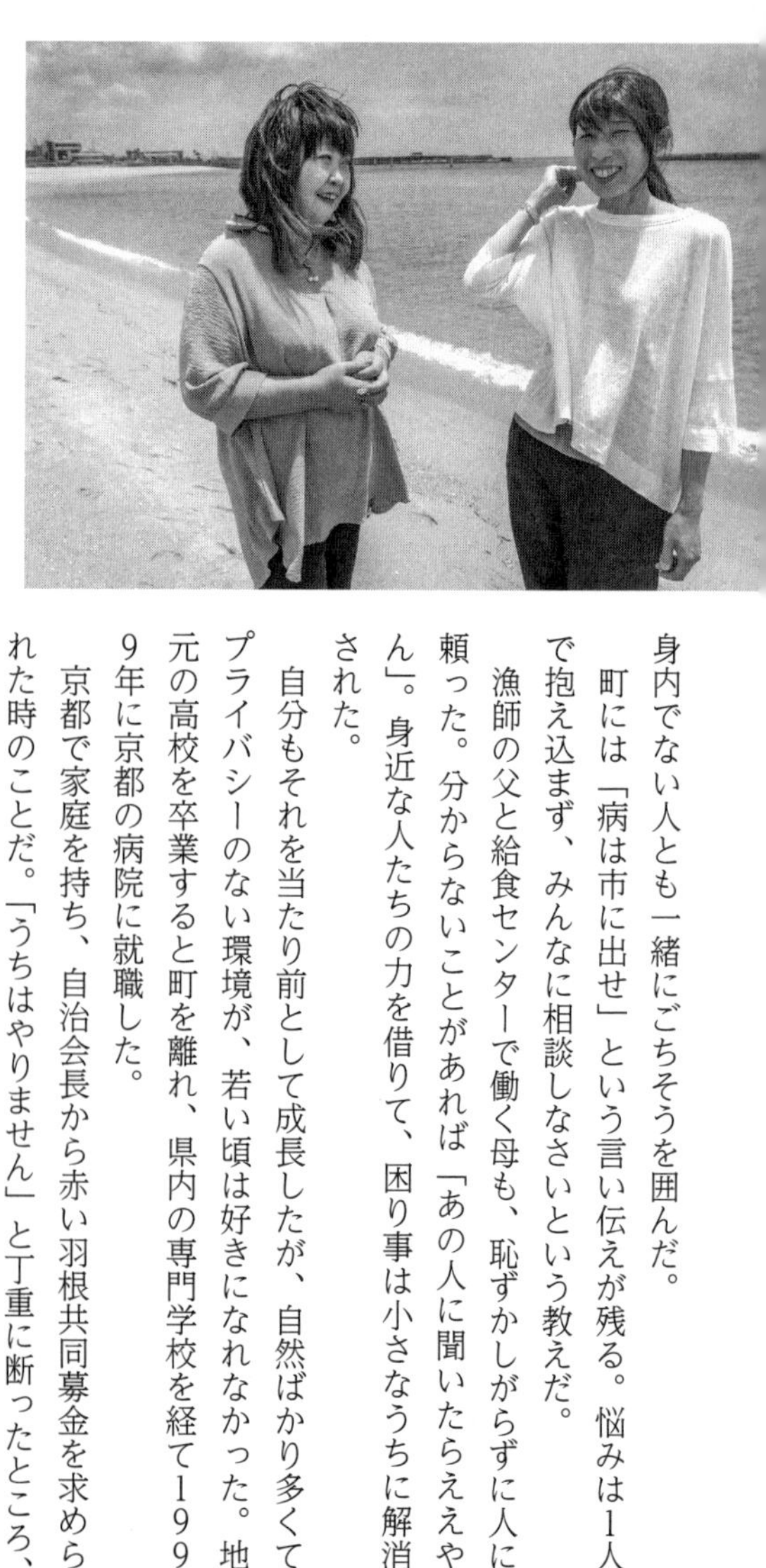

身内でない人とも一緒にごちそうを囲んだ。

町には「病は市に出せ」という言い伝えが残る。悩みは1人で抱え込まず、みんなに相談しなさいという教えだ。

漁師の父と給食センターで働く母も、恥ずかしがらずに人に頼った。分からないことがあれば「あの人に聞いたらええやん」。身近な人たちの力を借りて、困り事は小さなうちに解消された。

自分もそれを当たり前として成長したが、自然ばかり多くてプライバシーのない環境が、若い頃は好きになれなかった。地元の高校を卒業すると町を離れ、県内の専門学校を経て1999年に京都の病院に就職した。

京都で家庭を持ち、自治会長から赤い羽根共同募金を求められた時のことだ。「うちはやりません」と丁重に断ったところ、相手が意外そうな反応を示したのが分かった。後ろめたさは感じなかったが「あ、うちだけなんやな」と悟った。

数年後、旧海部町の自殺率の低さを取り上げた本を読んで納得した。「他の自治体に比べて、赤い羽根募金が集まりにくい町」と書いてあった。けちなのではなく、自分が納得できる理由がなければ同調しない。他者に左右されない頑固さは、裏を返せば自由な雰囲気の源でもあった。

◆閉じ込める病院

京都の病院では作業療法士として、精神疾患のある人たちの社会復帰をサポートしてきた。「早く一人前にならなければ」と周囲に適応するのに懸命だった。立ち止まって物を考える余裕もないまま時は過ぎ、2015年に「WRAP」というプログラムに出合った。

メンタルヘルス(心の健康)の回復プランから生まれたもので、どんな状態の時でも自分らしく生きられるように、自らの手で手引を作成する取り組みだ。人生の主導権を医療者から取り戻そうという動きでもある。

WRAPの理念を通してそれまでの仕事を見直すと、当然と考えていた病院の世界がとても恐ろしいものに思えてきた。

カンファレンスは医療者だけで行われ、患者不在のまま処遇が決められる。患者が人としてごく当たり前の主張をしても「具合が悪いのだろう」と判断され、薬の量だけが増やされる。

ある患者が「退院したい」と希望すると、逆に開放病棟から閉鎖病棟に移される場面も目撃した。「患者のため」という言葉は、病院に閉じ込めておく方便に聞こえた。

「自分は大事なことから目を背けてきたのかもしれない」。病院で仕事を続けるのが、次第に苦しくなっていった。勤め始めた頃に抱いた素朴な疑問を思い出した。「この入院患者さん、海部で生活してたら普通に町を歩いてるやろな」

◇ただそばにいる

ついに出勤もできなくなり、16年春に休職した。うつに近い状態で自宅の布団に引きこもった。「私は社会人失格だ」と自分を責めた。だが、少し冷静になってみると「わが身を否定するのは日々接している患者さんを否定するのと同じではないか」と思い至った。

ある患者が「障害年金をもらうのはつらい」と話すのを聞き「権利なんだからもらえばいい」と口にしたことを恥じた。いざ自分が働けなくなってみると、権利と分かっていても失業保険をもらうのは心苦しかった。

結局、病院は辞めた。WRAPで知り合った仲間に悩みを打ち明けると、適度な距離を保ちながら支えてくれた。症状は少しずつ回復し、現在は神戸市の訪問看護ステーションに勤務しながら、患者宅を回っている。

家族にも悩みを語れず、1人で抱え込む人たちに出会いながら「ただそばにいる」というケアの在り方を考えるようになった。人は他者に依存して生きる存在だ。困っている時は助ける。でも、自分の生き方は自分で決めなければならない。

それは「つながりながら縛らない」という海部の人たちが大切にしてきた価値に似ている。理想の職業観は、故郷の原風景に刻まれていた。そのことにようやく気付いた。（✎名古谷　📷藤井）

◉過去の自分否定せんといて

病院勤めの17年間、一体何をしてきたんやろ。そう思って足元から崩れ落ちてしもたな。患者さんに寄り添おうとしたけど今思えば頭だけで分かろうとしよった。自分が強い立場から物を言よったことに無自覚やった。

見える世界が百八十度変わって楽になれるかと思ったら、今まで気にならんかった社会の矛盾がようさん見えてきて、逆に生きづらさは増した。

もちろん、人間らしくなれた今の方がええ。けど、これまでの私も否定せんといてほしい。過去の自分もこれからの自分も両方とも大事やけん。作業療法士としてどうあるべきか、今もずっと考え続けよる。一生かけて一緒に探していこう。

41 きっと加害者になっていた　呪縛解け、つながり求める

中島坊童（なかじまぼうどう）（不登校、引きこもり支援者　55）

高校を卒業したばかりの中島坊童は埼玉県行田（ぎょうだ）市の自宅で見ていたニュースにくぎ付けになった。ソファから立ち上がり、画面に近づく。1987年6月。「先生」と慕った男が手錠をかけられ、警察に連行される姿が映し出されていた。

先生は私塾を開いており、少年たちが集団生活を送っていた。アナウンサーは「塾から逃亡した者を別の少年に捕まえさせ、塾長自身も暴行を加え殺害した」と容疑を説明していた。

何かの間違いだと思い、駅で新聞を買いあさった。しかし、かつて不登校の自分を受け入れてくれた恩師の姿は、どこにも見当たらなかった。

◇打ち勝て

小学校にはほとんど通わなかった。友達も給食も大好きだったが、校舎に入ると、自分が望まない目的地に連れて行かれるようで怖かった。

中学にも行かず、両親に連れられて精神科や児童相談所、カウンセラーを巡った。「異常はありません」という診断に納得できない両親は、新興宗教に相談したり、占いに通ったりもした。当時は不登校ではなく登校拒否と呼ばれ、地域には自分だけしかいなかった。近所の目を気にする親の気持ちも分かったが、「治療」という言葉で語られるのには抵抗があった。

期待された〝効果〟が得られなかったため、両親とともに東京・浅草にあるマンションの一室を訪れた。そこは不登校やひきこもりの子どもを預かる塾だった。

初めて出会った塾長は「なぜ学校に行かないのか」とは尋ねなかった。それまで散々問いただされたのに、「学校なんて行かなくていい」と一言。その言葉に救われた。

生活のルールが一切ないのも快適だった。ある日、塾長から「君は何のために生まれてきたか分かるか」と聞かれ、困惑した。

「勝つために生まれてきたんだ」。塾長は断言した。「勝つ」の意味は分からないまま、妙に納得する自分がいた。世の中の当たり前に打ち勝て、と言われた気がした。

吃音(きつおん)に悩む少年を「おまえはそのままでいい」と一喝し、ホームレスに無言で千円札を差し出す塾長の姿は格好よかった。「一生ここにいたい」と思ったが、学校に戻る未来は遠ざかり、見かねた親は退塾を決めた。

その後、両親が雇った家庭教師とウマが合い、勉強が楽しくなって高校に進学した。「学校にさえ行ってくれれば他には何も望まない」と漏らしていた両親は安堵(あんど)し、家の中に張り詰めていた緊張感は消えていった。

◇母の姿

その塾長が逮捕された。記事の内容は、塾長から被害者へと次第に軸足を移していった。塾長のことばかり考えていた中島の目に留まったのは、亡くなった少年の母親の心情に迫った記事だった。息子を学校に通わせるため、最後のよりどころとして塾長にすがった末の絶望が描かれていた。

不意に母の姿が重なった。思い返してみれば、近所の目を気にしながら息子を連れ回す表情は必死そのものだった。

塾長への憧れは次第に恐怖へと変わっていった。当時、塾は埼玉県秩父市の山奥の一軒家に移転しており、やめた後も時々遊びに行っていた。

中島の頭にこんな想像が浮かんだ。集団生活をする者たちが居間に集まり、1人の少年を囲む。「次、次」という塾長の声とともに金属バットが回ってくる。悲鳴は外の世界には届かない。「もしかしたら自分も加害者になっていたのではないか」。いや、間違いなく殺していた。それ

は確信に近い感覚だった。「洗脳」が解けると、塾長の言葉には深い意味などなかったように思えた。

◇脇役に徹する

塾長に心酔した過去を省みて、事件の後はボランティア活動にいそしんだ。塾長以外の人間と関係をつくれなかったから、自分は何の疑いも持たなかったのではないか。人とのつながりを求めるように、不登校やひきこもりの支援に参加した。

以来30年余り、東京・歌舞伎町を中心に、人の悩みや困り事に寄り添ってきた。

もっぱら話を聞くことに集中し、説教はもちろん、助言もしない。人が本音を話すのは決まって時間がたってからだ。「こうしたい」という解決策は実は最初から持っている。活動を通じてそれが分かるようになった。

脇役に徹するスタイルを確立できた最近、ふと塾長の言葉を思い出した。「悩んでいる人が自分で解決するチャンスを横取りしてはいけない」

塾長の言葉には確かに真実も含まれていた。彼のことを全肯定も全否定もせず、自分なりに受け入れられるようになったのかもしれない。

もう一度、会って尋ねてみたい。「なぜあんなことをしたのですか」と。今なら、その返答を自分なりに解釈できる気がする。いつの日か自分も私塾を開き、苦しんでいる人たちと向き合うために。

（✎宮本 📷今里）

◉思考停止するな

「先生」の一つ一つの言葉が妙に心に響いたのは、学校に行かない毎日にきっと負い目があったから。平日の朝はいつもプレッシャーを感じたし、昼間は居心地が悪かったのを覚えている。

だから「勝つ」という強い言葉を聞いた時、自分を肯定してくれる存在が現れたと安心した。

高校に入ってみると、自分には常識が足りないと気付くはず。たくさん恥もかくけれど「それまで思考停止してきたつけが回ってきた」と素直に認めて吸収してほしい。

人生はいつからでも間に合う。分かりやすい言葉に逃げ込まないこと。人に依存せずに自分の頭で考え続けること。答えはそこにしかない。

42 いないよ、ここに　東京を離れたベーシスト

立花泰彦（ミュージシャン　67）

北海道の襟裳岬に近い太平洋に面した、浦河という小さな町がある。大黒座はその町の映画館。建物は少しくたびれているが、町の、いわば文化の中心だ。この日はそこで、ジャズベースのソロライブが開かれていた。背中を丸めてウッドベースを奏でるのは、この町に住む立花泰彦。東京のジャズシーンで鳴らした知る人ぞ知るミュージシャン。毎月そのライブを間近に聴ける浦河の人々は、実にぜいたくな境遇にいる。

◇異変

東京で暮らしていた立花が、妻の泉の異変に気付いたのは2008年のことだった。ツアーから帰ると、一歩も外に出ていないことが分かった。そこにいるのにそこにいないような様子に胸騒ぎを覚え、病院に連れて行くと、統合失調症と診断された。幻覚や幻聴に襲われ、重くなると日常生活もままならなくなる精神の病気だ。父と祖母を立て続けに亡くしたことが引き金になったようだった。

「がーんと来ましたね。病気のことを何も知らなかったから、あわてて本を買って勉強しました」。泉は入院し、長くなるだろうと言われた。立花が家に帰ると、飼い猫のルーちゃんが、泉が描きかけたキャンバスのところへ連れて行く。いないよ、ここに。そう言っているようで涙が出た。

入院後まずやったことは、毎朝ごはんをたいて食事をしっかり取ることだった。「ちゃんとした暮らしをしようと思いました。そうじゃないと、そこから崩れてしまうような気がして」

泉は画家である。「みーちゃん（泉の愛称）の絵に俺が曲をつけて、ＣＤ画集を出したかったな」。そう言うと泉の様子が変わった。急に現実に戻ってきたようだった。立花はそれまで共演してきたミュージシャンに声をかけ、10点の絵に11曲を収めた「彼方へ」を完成させた。「本人はうれしかったでしょう。

◇暗転

急速に回復して退院までこぎ着けた。お医者さんも奇跡的だと驚いていました」

だが事態は暗転する。やはり近しい人の死がきっかけだった。11年、旧知のドラマーの急逝（きゅうせい）で症状が悪化。再入院した時には、もう二度と退院できないかもしれないと思われた。「入院してくれていた方が、自分は楽なんです。仕事にも行ける。でもそれがね、なんか居心地が悪かった。それで仕事に行っても楽しくないっていうか」

精神障害者の生活共同体「べてるの家」を中核に、患者が町に溶け込むような先進的な試みがなされている浦河のことを知ったのは、そのころのこと。とにかく泉を入院させていたくなかった。

東日本大震災にも後押しされたと思う。都会で暮らすことは地球を破壊しているのだと身に染み、浦河での人としての身の丈に合った暮らしを思った。11年10月31日に退院。荷物とルーちゃんを車に積んで、そのまま旅立った。

それから十余年がたった。ある日の午後のことだ。「浦河ひがし町診療所」に、世界各地の楽器をてんでに鳴らす十数人の姿があった。立花が主宰する「音楽の時間」を週1回開いている。自身も楽器を手に輪の中を飛び回り、次々とソロ演奏を促す。

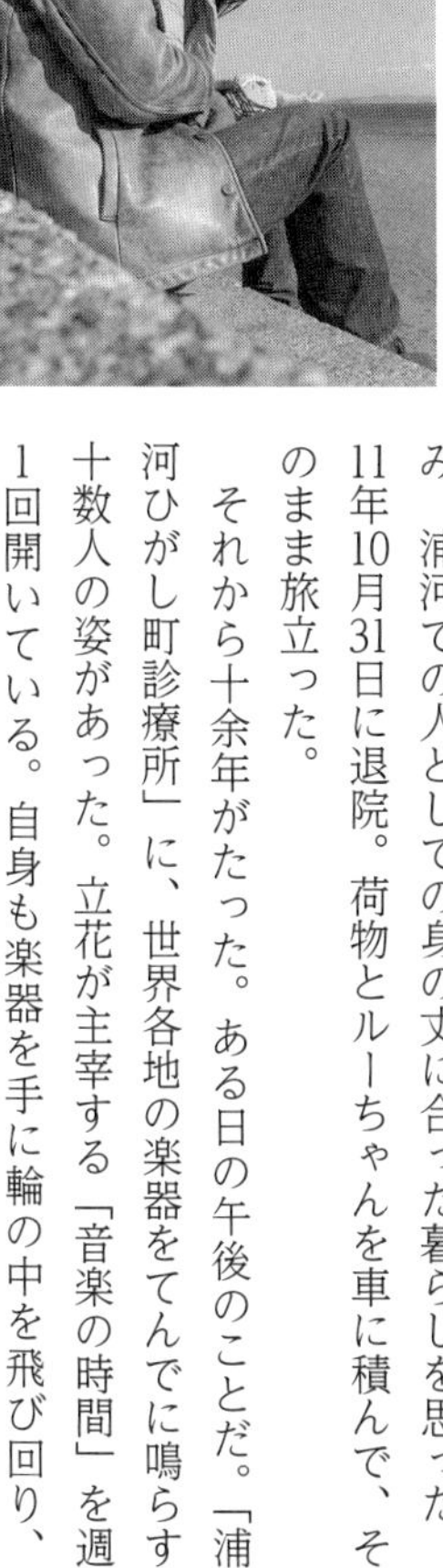

◇即興の喜び

泉が通うこの診療所は、浦河赤十字病院の精神科医師だった川村敏明(かわむらとしあき)(73)が14年に開院した。「治さない医療」を掲げ、精神疾患を抱える患者が障害を自分事としてきちんと悩み、周りと支え合う場をつくることを目指す。「音楽には正しいも正しくないもない。皆がそこに参加しているという気持ちを持てていることが大事なんです」。川村がそう評する音楽の時間は、今や診療所の大切なプログラムだ。

演奏の輪を初めは遠巻きに見ていた女性が、少しずつ近づいてきて、今ではなくてはならない存在に。「音楽の時間」のメンバーを元にしたバンド「ひがし町パーカパッションアンサンブル」は、17年の札幌国際芸術祭に参加し、渾身(こんしん)の演奏を見せた。「ジャズが目指している即興の喜びが、ここでは味わえる。一番楽しんでいるのは僕かもしれない」

もうジャズはできないだろう。浦河に来る時、そう思った。だが旧知のミュージシャンたちが立花を訪ねてきては、そのたびにコンサートを開き、立花とセッションをして帰って行くようになった。大黒座でのライブも昨年末で80回近くになった。「これも泉が病気になったおかげでね。東京ではできなかっただろう音楽活動ができている」

高校を出て、そのままミュージシャンになった。ラッシュの電車に乗りたくない。毎日昼寝がしたい。そんな「ふざけた動機」だったが、それが今の生活では実現していると笑う。「浦河はいいところですよ。自然が豊かだし、静かだし」とゆったりと話す泉も、今ではすっかり落ち着いている。

（✎岩川　📷京極）

◉俺は間違えてなかった

浦河に旅立ったあの時、俺は不安だったか。いや、東京にいても同じだった。まったく先が見えなかったんだから。どうして浦河に来たんだろう。筋道立っては自分でも説明できないけれど、とにかくそれしかないと思った。今になって思う。多分、俺は間違えてなかった。

ここに来て、いろんな出会いがあった。大黒座のご主人。川村先生。自宅の大家さん。俺の音楽活動を応援してくれる人々。パーカパッションアンサンブルの仲間ら、精神に障害のある人たち。泉が病気になったからこそ、こんなにおもしろい人々と出会えた。

そのことに今、感謝している。

43

しゃべるのは苦手だけれど　聞く力武器に看護を

伊神敬人（看護師　44）

「何言っとんのかわからん。ちゃんとしゃべれ」。電話口の男性はいら立たしげにそう言った。名古屋市にある精神科に特化した訪問看護ステーション「らしさ」の看護師、伊神敬人が、電話で病院に患者の病状報告をした時のことだ。「またか」。伊神は、そんな時たまらなく悲しくなる。

小学校に上がった時、初めて「あれ、自分は変なのかな？」と思った。「い、い、い、いかみ」というしゃべり方を同級生がまねして笑う。それまでは家庭では気にならなかったのに。父親にも、祖父にも吃音があった。「僕は吃音のエリートです」。今では定番の自虐ネタだが、実際、吃音は遺伝的な要素が大きいということが近年、分かってきている。だが、かつて「まねをするとうつる」「親の愛情が薄いなど家庭環境に問題がある」と根拠のない「原因」が常識とされ、今でもそう誤解している人が多い。

◇いじめ

特にサ行が苦手だ。発語しようと思うと、喉が締め付けられるようになる。言葉が出てこないからあせる。あせると余計に言葉が出てこなくなる。吃音の子はそのうち、苦手な音を避けて、別の言葉に言い換える方法を身につけていく。頭の中で常にその作業をしているので、一日が終わるとぐったりしてしまう。

「ゆっくりしゃべるとどもらないはずだよ」。と母親は言った。教師は口々に「はっきりしゃべれ」と叱った。守ってくれるはずの人が守ってくれない。心の支えはドラえもんだった。その日のできごとをぬいぐるみに話しかける毎日。「ドラえもんはのび太が何を言っても受けとめてくれる。そんな存在が欲しかったんだと思う」

しつこくからかってくる同級生と、同じ中学に進学した。そこからいじめがエスカレートしていった。かばんを隠される。教科書がなくなる。トイレの個室に閉じ込められ、上からホースで水をかけられたこともある。教師に訴えても取り合ってくれない。いじめの主は教師の前ではいい子を演じていた。

◇将来の夢

友だちはいなかった。ある日、家の近くにあるゲートボール場で1人遊んでいたら、そこの高齢者介護施設の人に「手伝わないか」と誘われた。市のボランティアに登録し、お年寄りの話を聞いたり車いすを押したりする日々は楽しかった。

周りからは無口な頑固者と思われていた男性が、自分だけに戦争の話をしてくれたりお菓子をくれたりする。「自分が認められた気がして、うれしかった」。伊神はこの時、将来は看護師になりたいと思った。「しゃべるのは下手だけど、聞くのは得意だから」

仏教系の男子高に入るころ、話せない言葉が増えた。日直で起立、礼が言えない。朝、校門で立っている生活指導の教師が怖くて「おはようございます」が言えない。

だが、思い切って応援団に入った。「やさしい勧誘にだまされた」と言うが、勇気のいる一歩だった。不思議なことにエールも応援歌もどもらなかった。友だちもできた。3年生の時には教師に勧められて生徒会長を務めるまでになった。

2浪して念願の看護学校に進学。朝と夜に精神科病院で看護助手として働いた。その頃には伊神は、物おじしない青年に成長していた。病棟で「統合失調症のことが分からないから教えてくれませんか?」。患者に聞いて回った。「しゃあない、講義してやるか」と患者。変わったやつがいるとうわさになり、やがて病院の名物看護師になった。

◇どもってもいい

2013年、札幌市の病院で働き始めた男性看護師が自殺した。吃音があり、試用期間を延ばされていたという。ショックだった。「どもっててもいいじゃん」。そう言ってあげられることはできなかったのか。吃音を理解してくれる同僚に囲まれる恵まれた環境が、決してまだ普通ではないとあらためて思い知った。

病院で23年間働き、看護師長まで務めた後、一昨年、現在の訪問看護ステーションに移った。精神疾患を抱えた患者たちの多くは、退院してもすぐ病院に戻ってくる。そのケアを、地域でやってみたかった。手応えがある。病院と違い、患者一人一人とじっくり向き合えるからだ。

吃音は年をとるごとに軽くなることが多いが、伊神の場合は年々重くなってきている。電話で話すのが特に苦手だ。コンビニで注文できなくて、何も買わずに出ることもある。看護の現場でも、もどかしさは常にある。

だがこんなこともあった。「自分も病気を抱えて大変だけど、伊神さんが必死で話す姿を見ていると勇気が出てくる。毎回来てくれるのが楽しみです」。統合失調症の患者がそう言ってくれた。うれしかった。

聞く力を持つ吃音者は、看護に向いていると思う。その道を、自分が先頭に立って切り開いていこう――。伊神は力強くそう思っている。

（✎岩川　📷京極）

◉ドラえもんがそばに

内気で人と話すことを怖がっていましたね。「吃音」という言葉も知らないまま、とまどいながら大きくなりました。相談相手はドラえもんでしたね。さまざまな体験をし、傷つきながらも懸命に中高時代を過ごしたことには、胸を張って自信を持ってください。

誰かのために役立ちたいと、夢だった看護師の道に進んだそのチャレンジ精神は、今の自分の原点です。あなたの優しさは今、周りの人々の癒やしになっています。吃音のことを理解してくれる人たちにきっと出会えます。つらい時は、ドラえもんがそばにいてくれる。吃音者が普通に生きられる社会を切り開いていってください。

44 この社会が正解なのか　農業支えに本屋で生きる

森哲也（もりてつや）（書店店主 37）

その小さな本屋は、淡水と海水が混じり合う汽水池のほとりに立つ。異質な者同士が出会える空間になるように。まだ見ぬ本と巡り合い、新たな自分へと離陸できるように。二つの願いを込め、店主の森哲也は「汽水空港」と名付けた。

だが、こだわり抜いた約5千冊を所蔵する独立系書店は、専業の仕事ではない。午前中は田畑を耕し作物を育て、午後は稼ぎの定まらない書店で過ごす。両者がそろって初めて、理想の生き方に近づくことができる。

◇渇望

早熟な子どもだった。幼稚園の頃、テレビで見たCMに衝撃を受けた。スーツを着たサラリーマンが、けたたましい歌声で迫ってくる。「24時間戦えますか」。栄養ドリンクの宣伝だった。

直感的に恐怖を覚えた。「会社のために奴隷のような人間になれということだろうか」。不安になってサラリーマンの父に尋ねた。「大人はずっと働き続けないといけないの？」。返ってきた答えは「まあそうかな」。

そんな過酷な組織に自分はなじめそうもない。以来、会社員とは違う生き方を見つけることが人生の大問題になった。

高校時代のアルバイト先では、社員がいつもさえない表情でぼやいていた。仕事を卑下し「ちゃんと勉強しないと、君も私たちみたいになっちゃうよ」。会社のパーツとして役目を果たす生き方は、つらそうに見えた。

勉強は得意でなかったが、彼らのような大人にはなりたくなかった。しかし、そのバイト仕事すら満足にこなせない自分はもっと惨めだった。どんなバイトをやっても、人より覚えが悪かった。

「能力が足りないから仕方がないのか。全部自分の責任だ」。モデルとなる生き方が見つからず、もがいていた。心のどこかで尊敬できる大人を渇望していた。
救ってくれたのは本だった。世界には見知らぬ土地を旅し、自らの力で可能性を切り開いていく生命力あふれる人たちがいることを知った。身の回りの大人とは全く違う価値観が新鮮だった。

◇移住

大学3年の時、人生を決定づける一冊に巡り合った。『懐かしい未来』。ヒマラヤ山麓に広がる集落に近代化の波が押し寄せ、素朴な生活を続けてきた住民たちの心が、次第にむしばまれていく様子が描かれていた。

目の前の日本社会の姿と重なって見えた。近代化や資本主義を自明とする生き方だから、これほど多くの人が苦しむのではないか。「今ある社会や制度は唯一の正解ではないはずだ」。新たな見方を手に入れ、競争社会の一員にならなくても生きていける気がした。

自分が本に助けられたように、社会や学校の価値観になじめない人のために本屋をやりたいと思った。それは「もう一つの学校」として社会変革を促す力にもなるはずだ。

「今どき本屋はもうからない」と言われるが、食べ物を作って自給できれば飢え死はしないだろう。腹をくくると、ようやく視界が開けた。

大学を卒業後、埼玉県と栃木県で2年間農業研修を受けた。終了間際の2011年3月、東日本大震災が起きた。放射能から逃れ、農業ができる土地を探すため、千葉県の実家から自転車で西日本を目指した。旅の途中「鳥取県に安い物件がある」と聞いて移住を決め、左官業のバイトで建築の知識を学びながら準備を進めた。月5千円で借りた湯梨浜(ゆりはま)町の小屋を自ら改装し、15年に開業にこぎ着けた。

◇デモ

ようやく手に入れた自分の城は、著者の思想や感情を詰め込んだ場所に思えた。その中には、必ずしもかなわなかった願いもある。5千冊分の人が、ここで声を上げ続けている。まるで小さな町で常にデモが繰り広げられているようなものだ。

だが、書店の経営は想像以上に厳しかった。開店から3カ月目には客が1人も来ない1週間を経験した。不安で本も読めなくなり、SNSに「今日も誰も来ない」と投稿し、気を紛らわせた。農作物で暮らしを立てるのも簡単ではなかった。急場はバイトの掛け持ちでしのいだが、追い打ちをかけるように鳥取県中部地震が発生。書店は文字通り傾き、一時閉店に追い込まれた。気付けば「もう終わりだ」と口走っていた。うつ状態の自分を支えてくれたのは、その後結婚することになる妻明菜(あきな)だった。

2人で穏やかな時間を過ごすうち、少しずつ元気を取り戻した。ただ冷静に考えると、本屋をやらない方が金銭的にも精神的にも楽に生きられることに気付いてしまった。田畑で農作業をする日々は充実していた。本屋がなくても家族と幸せに暮らすことはできる。それでも、自分は本屋を足掛かりに社会を変革したかったのではなかったか。多様な人が集える原っぱのような本屋を。

汽水空港は18年、リニューアルオープンした。本を求める読者は地域外からもやって来る。人口約1万6千人の町で、デモは静かに続いている。

（✎名古谷　📷堀）

◉履歴書はいらない

父の転勤で小4から2年間、インドネシアで暮らした時のことを覚えてる？　日本で中流だったわが家は現地ではなぜか富裕層になり、運転手付きの家で暮らすのはとても居心地が悪かった。

でもなぜだろう。路上で商売をする屋台のおじさんの姿は今も忘れられない。すべてを自分でやりくりし、即興で相手と気持ちを通じ合わせる。立派な履歴書があっても、屋台を切り盛りするには何の役にも立たない。スタッフと客ではなく、ただ人と人との関係。生身の人間が問われるあの緊張感が好きだった。

迷った時は思い出してほしい。君がどんな生き方をしたいのか、原点が見つかるかもしれない。

45

遺族に悼まれ死者になる　招かれざる客、返還の旅路

殿平善彦（僧侶　77）

1976年秋、北海道幌加内町の朱鞠内湖に遊びに行った浄土真宗の僧侶殿平善彦は、近くにある光顕寺の関係者に呼び止められた。引き取り手のない位牌があるという。寺を訪ねると、段ボール箱に約80基の位牌が保管されており、日本人と韓国・朝鮮人の名前が書かれていた。

10～40代の男性ばかりで死亡時期は35～45年。「これはダム工事の犠牲者ではないか」とピンときた。戦時中、朱鞠内の雨竜ダム建設のため、日本各地や朝鮮半島から集められ、過酷な強制労働に従事させられて亡くなった人たちだ。

裏のささやぶに案内されると、足元に複数のくぼみがあるのに気付いた。「死者は土葬されると肉体が朽ちて地面がへこむ。犠牲者は今もそこに埋まっています」。驚くべき事実を告げられた。

◇死者への手紙

約60キロ離れた深川市の一乗寺で副住職をしていた殿平は、すぐさま仲間と調査を始めた。町役場に残る書類を調べると、日本人と韓国・朝鮮人の計110人が亡くなっていたことが分かった。

本籍地の記録などをもとに、日本人の遺族だけでなく、ハングルに翻訳して韓国の遺族にも手紙で知らせた。宛名が分からないため、死者を受取人にして投函(とうかん)してみると、1カ月もせずに7人の遺族から返信があった。

貧しい農村の出身者ばかりで、忠清北道に住む朴周東(パクチュドン)からは「叔父の葬儀はどのように行われましたか。仏を韓国に移して霊魂を慰めたい」と丁寧な返事が届いた。

「本来なら朱鞠内で死ぬ必要のない人たちだった。遺族の思いを知った以上、自分たちが遺骨を探すしかない」。雪どけ直後の80年春、殿平らの市民グループはささやぶで掘り起こしを始めた。

4回にわたる発掘で計16体の遺骨が見つかった。雑草や根が絡まった骨は黒光りしており、頭蓋骨の眼窩(がんか)はこちらをにらんでいるように見えた。

無残な死を遂げた人々を思った。浄土真宗では「人は念仏して死を迎え、浄土に生まれ仏になる」と教えられる。だが、この人は本当に浄土に行けたのだろうか。

まだ30代の若い僧侶は宗教心を揺さぶられた。「誰にも悼まれなければ、死者になることすらできないのではないか」

◇失意の帰国

82年秋、初めて韓国を訪問した。遺骨を引き取ってもらえるかどうか、事前の交渉をするためだった。「遺骨を受け取った日本の遺族と同じように、韓国の遺族も喜んでくれるはずだ」

しかし自分が招かれざる客だと気付くのに、時間はかからなかった。ある遺族は手土産も受け取らなかった。訪ねた農村では村人に詰問された。「おまえは日本人か。日本がここで何をしたか知っているのか」

既に戦後40年近くが経過していたが、集まった村人は強制連行の実態をつぶさに語った。「村の若者は見つかると残らず日本に連れて行かれた。だから日中はみんな山の中に隠れていたんだ」

遺骨を届けたい一心の殿平を待っていたのは、日本人に対する強い憤りだった。日本政府に謝罪や補償を求める遺族もいたが、自分は一市民としてここに来ただけだ。「喜んでもらえると期待したのが甘かったのか」。失意を抱えたまま韓国を離れるしかなかった。

◇断ち切られた命

帰国後は犠牲者の慰霊碑建立など、国内でできる活動に力を注いだ。しかし、その自分たちを激しくののしる人物がいた。

「何もしない者より、遺骨を掘ったのにそのままにしているおまえたちの方が悪い」。自身も朱鞠内で強制労働を体験した在日韓国人だった。同胞の遺骨を見て、怒りを抑えられないのが痛いほど伝わってきた。

他方で、さまざまな経緯から受け取りを拒む遺族がいるのもまた現実だった。行き場を失った遺骨を見て思った。「人の死とは、残された者との関係性の上に成り立つのではないか。もしこの骨が自分だったら、死んでも死にきれない」

80年代後半になると、韓国で急速に民主化が進み、日韓関係にもようやく変化の兆しが表れた。

初訪問から9年後の91年、2度目の訪韓を試みる。最初の手紙に「叔父の霊魂を慰めたい」と返事をくれた後、音信不通だった朴と連絡が取れ、遺骨の引き取りを承諾してくれた。

翌92年、届けられた遺骨を胸に抱き、遺族は異国で断ち切られた命に思いをはせた。法要では殿平もお経を上げた。長い年月を経て、遺骨はようやく「死者」になった。

あれから三十余年。その後も道内で見つかった強制労働犠牲者の遺骨返還に関わってきた。返すことのできなかった遺骨もある。遺族が死者の無念の言葉を代弁するのを何度も聞いた。「人はつながりのある者に惜しまれ、見送られて初めて死者になることができる」。現実と向き合う中で到達した確信は、今も僧侶としての自分を支えている。

（✎名古谷 📷今里）

◉運命づけられていた

あの日朱鞠内に行かなければ、自分の人生は違うものになっていただろうか。いや、非業の死に寄り添う生き方は運命づけられていたと感じる。

浄土真宗は、お骨そのものに特別な意味を見いだしてはいない宗教だ。それなのに私は心を揺さぶられる遺骨に出合ってしまった。それまでに学んだ教えだけでは理解しがたい事態に遭遇した。

浄土真宗の教えはもっと深く、私の理解が浅いのかもしれない。ただ私たちはお骨を通して死者に想像を巡らせる。自分なりの死生観は宗教以外の部分でも形作られる。この先、多くの人たちとの出会いが待っているだろう。自分の素直な感覚に耳を傾けてほしい。

46

深い孤独と性自認の揺れ　薬物に痛みをゆだねて

倉田めば（元薬物依存症患者）

薬物に手を出す者は意志の弱い愚か者だろうか。いや、人はどうしようもない「痛み」を癒やすために、声にならない声を表現しようとするのだと今、倉田めばは考える。

とびきりの優等生だった。北海道の国立大附属中で1番の成績。2年生で5番に落ちた時、肩の荷が下りた。親や教師の期待に応えていい子でいることの重圧は、限界にきていた。「これで不良になれる」。そう思って手を出したのが、極端なことに接着剤だった。

自宅のトイレで吸ってみた。体がジーンと熱くなって、目の前が黄色っぽくなり、周りの風景が遠ざかる。幻覚は見なかったが、それよりも「やっちゃいけないことをやったことがなかったから、それがうれしかった」。

父の転勤で移り住んだ京都府舞鶴市の高校では友だちが1人もできず、寂しさを紛らわすためにシンナーを吸った。夢を見るような幻覚を繰り返し味わい、やがて遊びの域を超えた。高校を卒業後に家出をし、移り住んだ先の東京では独り暮らし。制止するものは何もなかった。

◇二つに引き裂かれ

薬物に限らず、依存症は「自己治療」だと言われる。広い意味での「傷」を、自分で癒やすために、依存性のある物質や行為、関係にふける。倉田の場合その傷は深い孤独と、自分の性に対するアイデンティティーの揺れだった。

5歳くらいの時、音楽教室の発表会で、女の子たちがかわいい洋服に身を包んでいるのを「自分はなぜ半ズボンをはいてるんだろう」と思って見ていた。「勉強も運動もできる男の子と、女の子っぽい感覚、その二つに引き裂かれていた」。その揺らぎは、ずっと先まで続くことになる。

東京の写真専門学校に進んだ後は、シンナーの乱用はますますひどくなった。あまりのひどさにルームシェアをしていた友人が母親に連絡をし、22歳で初めて精神科病院に入院する。2カ月たって退院するころには「これでやめよう」と強く思った。だがだめだった。

◇幻覚に手を合わせ

激しい自己嫌悪に襲われ、そのことがさらに追い打ちをかける。18歳のころから始まったリストカット、睡眠薬や鎮痛剤の過剰摂取も加わり、4度の入退院を繰り返す20代だった。「自分を肯定することは何一つなかった」。最後のトルエンを吸ったときのことをはっきり覚えている。27歳だった。幻覚に出てきた神様に、ごめんなさいと手を合わせながら泣いた。

4度目の入院の時、アルコール依存症の回復施設と自助グループに通うように勧められた。当時はまだ薬物依存専門の施設はなかった。そこで倉田は「薬をやったことに責任を感じなくていい」と言われた。「薬をやるのは自由だ。ただ今日1日だけやめてみよう」とも言われた。その1日が1年になり、10年になり、もう39年も薬物から離れている。「毎日顔を合わせる仲間がいたことで、薬をやめた後の空虚感を埋められた」。フリーのカメラマンをしながら、今度は覚醒剤で逮捕された人や入院患者に会いに行く活動も始めた。

1993年、薬物依存者のためのリハビリテーション施設「大阪ダルク」を立ち上げた。ダルクの創設者、近藤恒夫(故人)から声をかけられていたが、自分には向かないと断り続けていた。だが、視察に行ったイタリアで、施設の神父が「社会が薬物に向かわせた若者を、また社会に戻すのは社会の責任だ」と言ったことに衝撃を受ける。「それに比べて何一つ差し伸べる手がない日本は、なんてひどい国なんだ」

◇言葉を持つこと

性自認はゆれ続けた。出生時に割り当てられた性別と、自身の持つジェンダーが一致していない性別不和。40歳を過ぎて女性の格好をするようになり、女性ホルモンを注射している。かつての薬物依存と、自身のセクシャリティーの関係について、今も考え続ける。

依存症は病気だという認識は今日、ようやく社会に共有されつつある。だがそこから「回復する」という言い方に違和感があると倉田は言う。

「もともと生きづらさがあって薬をやっていたのだから、やめても元に戻るわけにはいかない。ダルクをはじめ私たちのコミュニティーは、薬をやめて手に入れた新しい生き方を享受する一つの文化の場なんです。誰かに与えられた回復というゴールを目指して生きているわけじゃない」

50代の半ば頃、若い時に手がけていた詩作を再開した。パフォーマンスアートも始めた。表現を手にしたことは、生き方に大きな影響を与えたと思う。「依存者は薬が切れた後、何十年もその後を生きる。その時、自分の〝回復〟とはこういうものだと語る、自分だけの言葉を持っていることはとても大切です」

薬をやめられてよかったね、というような単純な話ではない。倉田の考えていることは、依存症という病を抱えた人々が、新しい人生を幸せに生きることの意味である。（✎岩川　📷今里）

◉あんたは十分悪い子だ

あんたはもう十分に悪い子だ。でも誰もそう言ってくれない。ほんとはいい子だなんて言われたら、もっとやらなきゃいけなくなるよね。薬をやめた私は、あんたに言ってあげられる。ウルトラよい子が命がけで悪い子になろうとして、十分やったじゃないか、と。

シンナーや薬やリストカットで、言葉で伝えられない苦しみを表現していたんだよね。そんな私が今、薬をやめて正しいサイズの自分を見つめるメジャーを手に入れた。やっと自分を肯定できるようになった。あるがままの自分を認める言葉を手に入れたんだ。そうして、薬物を使わない人生という未踏の地を、歩み続けているよ。

47

虐待なんてあり得ない　会えない息子、妻を信じ

菅家英昭（かんけ ひであき）（会社員　50）

いつもはLINEで連絡してくる妻から、珍しく電話がかかってきた。職場にいた菅家英昭は不吉な予感がした。「転んで意識がなくなった。どうしよう」。電話口で息子の名前を繰り返し叫んでいる。妻はパニックになっていた。

救急搬送された息子は手術を受けたが、意識が戻らない。「脳波フラットです」。聞き慣れない医師の言葉に動揺した。全身を管でつながれ、頻繁にピーピーと音が鳴る。「とにかく早く意識が戻って」。鶴を折り、ひたすら回復を祈った。

◇呼び出し

2017年1月。長年の不妊治療の末、息子が誕生した。大阪府守口市の自宅で事故が起きたのは、生後7カ月が過ぎた8月23日だった。2日前にできるようになったつかまり立ちをしている最中に転倒し、頭を床に打ちつけ大けがをした。

意識が戻るまで約2週間かかった。夫婦で毎日病院に通い、退院後の生活の準備を進めていたころ、児童相談所から呼び出しの連絡があった。

「早く終わらせて、病院に会いに行こう」。妻と話しながら行ってみると、息子は既に退院し、一時保護処分を受けたと聞かされた。何のことか意味が分からなかった。

けがの状況から「揺さぶられっ子症候群」と疑われたのが理由だった。密室での事故だったため、けがの原因に関しては医師による鑑定も行われていた。それによれば「事故の可能性が高く、虐待の可能性は低い」と判断されたはずだった。

しかし、児相の担当者は「虐待の可能性がゼロでない以上、疑わしきは保護となるのです」ときっぱり言った。

◇妻の逮捕

息子は児相によって施設に移され、週に1回、1時間しか会うことができなくなった。治療やリハビリ、施設の生活環境など気になることはたくさんあった。手の及ばない力によって、わが子との尊い時間が失われている。なぜこのような罰を受けなければならないのか、と苦しんだ。

いつ帰ってくるのか児相に尋ねても「捜査機関の判断を待ってから」と返されるばかり。虐待を疑われることになった妻は警察の捜査対象となり、厳しい取り調べに泣いて帰ってくることもあった。

「本当のことを言え」「良い母の仮面をかぶっているのか」。自白を迫るような言葉だけでなく、「一生障害が残るぞ」とけがをさせてしまった妻の負い目につけ込むような追い込み方に、菅家は激しい怒りを覚えた。

弁護士の助言を受け、児相と争おうと思ったが「子どもと会える時間がさらに少なくなる恐れもある」と言われ、あきらめざるを得なかった。

同じように「揺さぶられっ子症候群」を疑われ、子どもが一時保護されている他の家族と知り合い、「苦しいのはうちだけではない」と少し気が和らいだこともあった。ただ、どうすれば子どもを取り戻せるかという答えはどこにもなかった。

事故から1年が過ぎた18年9月、まさかと思っていたことが起きた。刑事が突然自宅にやって来て、妻が傷害容疑で身柄を拘束された。

「逮捕は不当だ」と訴えると、刑事は「なぜそこまで妻を信じられるんだ」と聞いてきた。息子は、結婚13年目にしてようやく生まれた宝物だった。妻は、生後2カ月のころは息子の夜泣きでつらそうにしていた。それでも、泣いていても抱っこで落ち着かせることができるようになり、子育てを少しずつ楽しめるようになっていく姿が目に焼き付いていた。「だから妻が虐待なんてあり得ない」。そう言い切った。

◆ひととき

子どもが連れて行かれ、妻も逮捕されてしまった自宅の一室に、自分一人だけが取り残された。静まりかえった夜に湧き上がってきたのは、悲しみよりも「自分には何ができるだろうか」という闘争心だった。父として、夫として、もっとタフにならなければ家族を支えられないと思った。

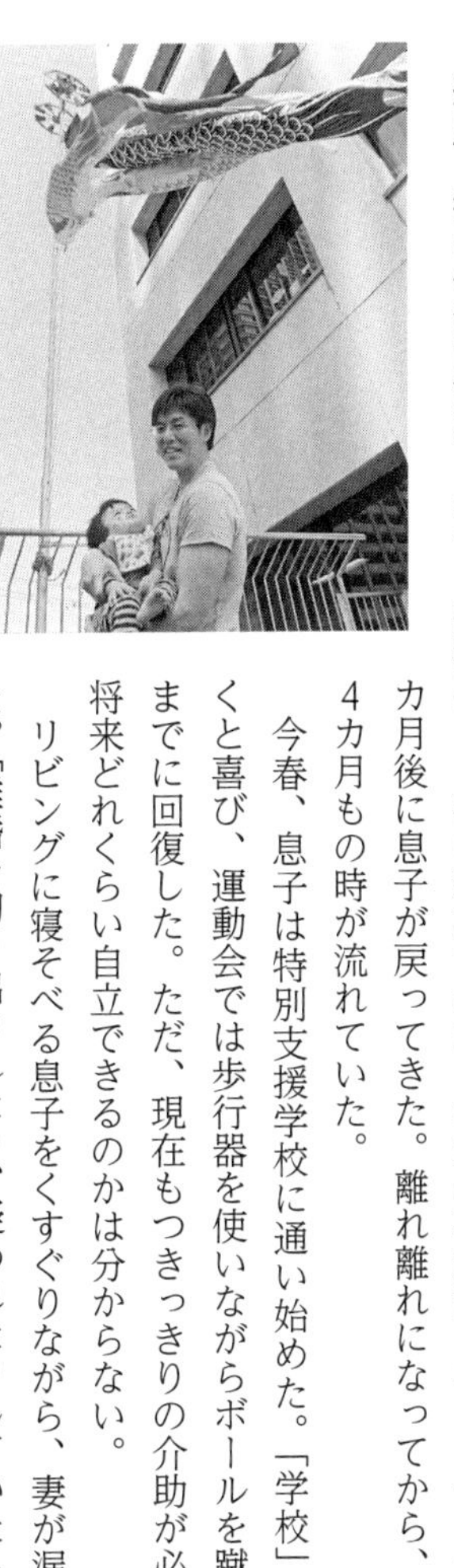

結局、妻の勾留は認められず、逮捕の2日後に釈放された。年末に不起訴となり、そこから3カ月後に息子が戻ってきた。離れ離れになってから、1年4カ月もの時が流れていた。

今春、息子は特別支援学校に通い始めた。「学校」と聞くと喜び、運動会では歩行器を使いながらボールを蹴れるまでに回復した。ただ、現在もつきっきりの介助が必要で、将来どれくらい自立できるのかは分からない。

リビングに寝そべる息子をくすぐりながら、妻が漏らした。「離婚を切り出されたり、疑われたりしていたら乗り越えられなかったと思う」。疑う気持ちなど一度も抱かなかった。それは共に過ごした家族でなければ分からないだろう。

「一家3人でいられる時間は、何物にも代えがたい」とかみしめるようになった。ありふれた休日のひとときも、これが当たり前ではないと知っているから。

（✎帯向 📷今里）

◉責めるだけでなく

あの時は「施設入所に同意しなければ息子と一切会えなくなる」と児童相談所に言われ、屈してしまった。法的根拠を尋ね、一時保護処分の取り消しを求めなかったことを今も後悔している。

怒りの矛先が児相に向くのは分かる。でも虐待の恐れがあれば、引き離そうとするのが児相の仕事だ。責めるだけでは根本的な解決にならない。

この6年間、なぜこんなことが起きたのか考え続けてきた。君に必要なのは「一時保護は本当に子どもの利益になっているのか」と制度の枠組みを問う視点だろう。

これ以上悲しい思いをする家族が増えないよう、私は制度の見直しを世の中に訴えているよ。

✎ **執筆者**

石黒真彩、石原秀知、伊藤元輝、岩川洋成、上田麻由佳、大石祐華、小田智博、帯向琢磨、兼次亜衣子、岸本拓郎、黒田隆太、小島孝之、小島拓也、後藤直明、佐藤大介、佐藤萌、志田勉、名古谷隆彦(編集長)、西出勇志、半沢隆実、福島聡、藤原聡、待山祥平、間庭智仁、三浦ともみ、宮川さおり、宮城良平、宮本寛、三吉聖悟

撮影者

伊藤暢希、今里彰利、大森裕太、京極恒太、鷺沢伊織、泊宗之、藤井保政、堀誠

＊本書は共同通信社の連載「迷い道」(2023 年 1 月〜12 月)をまとめたものです。

＊各ページの大きい写真は共同通信社撮影、小さい写真はご本人提供写真です。

＊年齢、所属は新聞掲載時のものです。

共同通信社
一般社団法人共同通信社は、全国各地の新聞社や放送局、海外メディアなどに記事、写真、映像を配信している通信社。1945 年に創立。東京に本社を置き、全国に支社局、海外主要都市に総支局がある。

迷いのない人生なんて
—名もなき人の歩んだ道　　岩波ジュニア新書 985

2024 年 5 月 17 日　第 1 刷発行

編　者　共同通信社（きょうどうつうしんしゃ）

発行者　坂本政謙

発行所　株式会社 岩波書店
〒101-8002 東京都千代田区一ツ橋 2-5-5
案内 03-5210-4000　営業部 03-5210-4111
ジュニア新書編集部 03-5210-4065
https://www.iwanami.co.jp/

印刷・三陽社　カバー・精興社　製本・中永製本

ISBN 978-4-00-500985-5　　Printed in Japan

岩波ジュニア新書の発足に際して

きみたち若い世代は人生の出発点に立っています。きみたちの未来は大きな可能性に満ち、陽春の日のようにひかり輝いています。勉学に体力づくりに、明るくはつらつとした日々を送っていることでしょう。

しかしながら、現代の社会は、また、さまざまな矛盾をはらんでいます。営々として築かれた人類の歴史のなかで、幾千億の先達(せんだつ)たちの英知と努力によって、未知が究明され、人類の進歩がもたらされ、大きく文化として蓄積されてきました。にもかかわらず現代は、核戦争による人類絶滅の危機、貧富の差をはじめとするさまざまな人間的不平等、社会と科学の発展が一方においてもたらした環境の破壊、エネルギーや食糧問題の不安等々、来るべき二十一世紀を前にして、解決を迫られているたくさんの大きな課題がひしめいています。現実の世界はきわめて厳しく、人類の平和と発展のためには、きみたちの新しい英知と真摯(しんし)な努力が切実に必要とされています。

きみたちの前途には、こうした人類の明日の運命が託されています。ですから、たとえば現在の学校で生じているささいな「学力」の差、あるいは家庭環境などによる条件の違いにとらわれて、自分の将来を見限ったりはしないでほしいと思います。個々人の能力とか才能は、いつどこで開花するか計り知れないものがありますし、努力と鍛練の積み重ねの上にこそ切り開かれるものですから、簡単に可能性を放棄したり、容易に「現実」と妥協したりすることのないようにと願っています。

わたしたちは、これから人生を歩むきみたちが、生きることのほんとうの意味を問い、大きく明日をひらくことを心から期待して、ここに新たに岩波ジュニア新書を創刊します。現実に立ち向かうために必要とする知性、豊かな感性と想像力を、きみたちが自らのなかに育てるのに役立ててもらえるよう、すぐれた執筆者による適切な話題を、豊富な写真や挿絵とともに書き下ろしで提供します。若い世代の良き話し相手として、このシリーズを注目してください。わたしたちもまた、きみたちの明日に刮目(かつもく)しています。（一九七九年六月）

924 過労死しない働き方
―働くリアルを考える
川人 博
過労死や過労自殺に追い込まれる若い人を、どうしたら救えるのか。よりよい働き方・職場のあり方を実例をもとに提案する。

925 障害者とともに働く
藤井克徳
星川安之
「障害のある人の労働」をテーマに様々な企業の事例を紹介。誰もが安心して働ける社会のあり方を考えます。

926 人は見た目！と言うけれど
―私の顔で、自分らしく
外川浩子
見た目が気になる、すべての人へ！「見た目問題」当事者たちの体験などさまざまな視点から、見た目と生き方を問いなおす。

927 地域学をはじめよう
山下祐介
地域固有の歴史や文化等を知ることで、自分・社会・未来が見えてくる。時間と空間を往来しながら、地域学の魅力を伝える。

928 自分を励ます英語名言101
小池直己
佐藤誠司
自分に勇気を与え、励ましてくれるさまざまな先人たちの名句名言に触れながら、自然に英文法の知識が身につく英語学習入門。

929 女の子はどう生きるか
―教えて、上野先生！
上野千鶴子
女の子たちが日常的に抱く疑問やモヤモヤに、上野先生が全力で答えます。自分らしい選択をする力を身につけるための1冊。

930 **平安男子の元気な！生活**

川村裕子

意外とハードでアクティブだった!? 恋に出世にライバル対決、元祖ビジネスパーソンたちのがんばりを、どうぞご覧あれ☆

931 **SDGs時代の国際協力**
—アジアで共に学校をつくる

西村幹子
小野道子
井上儀子

バングラデシュの子どもたちの「学校に行きたい！」を支えて——NGOの取組みから未来をつくるパートナーシップを考える。

932 **コミュニケーション力を高める プレゼン・発表術**

上坂博亨
大谷孝行
里見安那

パワポスライドの効果的な作り方やスピーチの基本を解説。入試や就活でも役立つ「自己表現」のスキルを身につけよう。

933 **確かめてナットク！ 物理の法則**

ジョー・ヘルマンス
村岡克紀訳

ロウソクとLED、どっちが高効率？ 物理学は日常的な疑問にも答えます。公式だけじゃない、物理学の醍醐味を味わおう。

934 **深掘り！中学数学**
—教科書に書かれていない数学の話

坂間千秋

三角形の内角の和はなぜ180°になる？ なぜ割り算はゼロで割ってはいけない？ なぜマイナス×マイナスはプラスになる？…

935 **はじめての哲学**

藤田正勝

なぜ生きるのか？ 自分とは何か？ 日常の一歩先にある根源的な問いを、やさしい言葉で解きほぐします。ようこそ、哲学へ。

936 ゲッチョ先生と行く 沖縄自然探検 盛口 満

沖縄島、与那国島、石垣島、西表島、宮古島を中心に、様々な生き物や島の文化を、著名な博物学者がご案内！〔図版多数〕

937 食べものから学ぶ世界史 ―人も自然も壊さない経済とは？ 平賀 緑

食べものから「資本主義」を解き明かす！産業革命、戦争…。食べものを「商品」に変えた経済の歴史を紹介。

938 国語をめぐる冒険 渡部泰明・平野多恵・出口智之・田中洋美・仲島ひとみ

世界へ一歩踏み出せば、新しい出会いと成長への機会が待っています。国語を使ってどう生きるか、冒険をモチーフに語ります。

940 俳句のきた道 芭蕉・蕪村・一茶 藤田真一

古典を知れば、俳句がますますおもしろくなる！　個性ゆたかな三俳人の、名句と人生、俳句の心をたっぷり味わえる一冊。

941 AIの時代を生きる ―未来をデザインする創造力と共感力 美馬のゆり

人とAIの未来はどうあるべきか。「創造力と共感力」をキーワードに、よりよい未来のつくり方を語ります。

942 親を頼らないで生きるヒント ―家族のことで悩んでいるあなたへ コイケ ジュンコ NPO法人ブリッジフォースマイル協力

虐待やヤングケアラー…、子どもはどのようにSOSを出せばよいのか。社会的養護のもとで育った当事者たちの声を紹介。

943 数理の窓から世界を読みとく ―素数・AI・生物・宇宙をつなぐ 初田哲男 柴藤亮介 編著

数学を使いさまざまな事象を理論的に解明する方法、数理。若手研究者たちが数理を共通言語に、瑞々しい感性で研究を語る。

944 自分を変えたい ―殻を破るためのヒント 宮武久佳

いつも同じメンバーと同じ話題。親に勧められた大学に進学し、楽勝科目で単位を稼ぐ。ずっとこのままでいいのかなあ？

945 ヨーロッパ史入門 原形から近代への胎動 池上俊一

古代ギリシャ・ローマから、文化的統合体としてのヨーロッパの成立、ルネサンスや宗教改革を経て、一七世紀末までを俯瞰。

946 ヨーロッパ史入門 市民革命から現代へ 池上俊一

近代国家の成立や新しい思想の誕生、二度の大戦、アメリカや中国の台頭。「古い大陸」ヨーロッパがたどった近現代を考察。

947 〈読む〉という冒険 イギリス児童文学の森へ 佐藤和哉

アリス、プーさん、ナルニア……名作たちは、本当は何を語っている？「冒険」する読みかた、体験してみませんか。

948 私たちのサステイナビリティ ―まもり、つくり、次世代につなげる 工藤尚悟

「サステイナビリティ」とは何かを、気鋭の研究者が、若い世代に向けて、具体例を交えわかりやすく解説する。

949 進化の謎をとく発生学
—恐竜も鳥エンハンサーを使っていたか
田村宏治
進化しているのは形ではなく形作り。キーワードは、「エンハンサー」です。進化発生学をもとに、進化の謎に迫ります。

950 漢字ハカセ、研究者になる
笹原宏之
著名な「漢字博士」の著者が、当て字、国字、異体字など様々な漢字にまつわるエピソードを交えて語った、漢字研究者への成長記。

951 作家たちの17歳
千葉俊二
太宰も、賢治も、芥川も、漱石も、まだ「文豪」じゃなかった——十代のころ、彼らは何に悩み、何を決意していたのか?

952 ひらめき! 英語迷言教室
—ジョークのオチを考えよう
右田邦雄
ユーモアあふれる英語迷言やひねりのきいたジョークのオチを考えよう! 笑いながら英語力がアップする英語トレーニング。

953 大絶滅は、また起きるのか?
高橋瑞樹
生物たちの大絶滅が進行中? 過去五度あった大絶滅とは? 絶滅とはどういうことでなぜ問題なのか、様々な生物を例に解説。

954 いま、この惑星で起きていること
気象予報士の眼に映る世界
森さやか
世界各地で観測される異常気象を気象予報士の立場で解説し、今後を考察する。雑誌『世界』で大好評の連載をまとめた一冊。

955 世界の神話 躍動する女神たち
沖田瑞穂

強い、怖い、ただでは起きない、変わってる⁉ 世界の神話や昔話から、おしとやかなイメージをくつがえす女神たちを紹介！

956 16テーマで知る 鎌倉武士の生活
西田友広

鎌倉武士はどのような人々だったのでしょうか？ 食生活や服装、住居、武芸、恋愛など様々な視点からその姿を描きます。

957 〝正しい〟を疑え！
真山 仁

不安と不信が蔓延する社会において、自分を信じて自分らしく生きるためには何が必要なのか？ 人気作家による特別書下ろし。

958 津田梅子──女子教育を拓く
髙橋裕子

日本の女子教育の道を拓き、シスターフッドを体現した津田梅子の足跡を、最新の研究成果・豊富な資料をもとに解説する。

959 学び合い、発信する技術──アカデミックスキルの基礎
林 直亨

アカデミックスキルはすべての知的活動の基盤。対話、プレゼン、ライティング、リーディングの基礎をやさしく解説します。

960 読解力をきたえる英語名文30
行方昭夫

英語力の基本は「読む力」。先生と生徒の対話形式で、新聞コラムや小説など、とっておきの例文30題の読解と和訳に挑戦！

961 森鷗外、自分を探す　出口智之
文豪で偉い軍医の天才？　激動の時代の感覚に立って作品や資料を読み解けば、自分探しに悩む鷗外の姿が見えてくる。

962 巨大おけを絶やすな！　—日本の食文化を未来へつなぐ　竹内早希子
しょうゆ、みそ、酒を仕込む、巨大な木おけ。途絶えかけた大おけづくりをつなぎ、その輪を全国に広げた奇跡の奮闘記！

963 10代が考えるウクライナ戦争　岩波ジュニア新書編集部編
この戦争を若い世代はどう受け止めているのでしょうか。高校生達の率直な声を聞き、平和について共に考える一冊です。

964 ネット情報におぼれない学び方　梅澤貴典
新しい時代の学びに即した情報の探し方や使い方、更にはアウトプットの方法を図書館司書の立場からアドバイスします。

965 10代の悩みに効くマンガ、あります！　トミヤマ ユキコ
悩み多き10代を多種多様なマンガを通してお助けします。萎縮したこころとからだがふわっと軽くなること間違いなしの一冊。

966 新種発見物語　—足元から深海まで11人の研究者が行く！　島野智之　脇　司　編著
虫、魚、貝、鳥、植物、菌など未知の生物の探究にワクワクしながら、分類学の基礎も楽しく身につく、濃厚な入門書。

967 核のごみをどうするか
―もう一つの原発問題
今田高俊・寿楽浩太・中澤高師
原子力発電によって生じる「高レベル放射性廃棄物」をどのように処分すればよいのか。問題解決への道を探る。

968 扉をひらく哲学
―人生の鍵は古典のなかにある
中島隆博・梶原三恵子・納富信留・吉水千鶴子 編著
親との関係、勉強する意味、本当の自分とは?……人生の疑問に、古今東西の書物をひもといて、11人の古典研究者が答えます。

969 在来植物の多様性がカギになる
―日本らしい自然を守りたい
根本正之
日本らしい自然を守るにはどうしたらいい? 在来植物を保全する方法は? 自身の保全活動をふまえ、今後を展望する。

970 知りたい気持ちに火をつけろ!
―探究学習は学校図書館におまかせ
木下通子
レポートの資料を探す、データベースで情報検索する……、授業と連携する学校図書館の活用法を紹介します。

971 世界が広がる英文読解
田中健一
英文法は、新しい世界への入り口です。楽しく読む基礎とコツ、教えます。英語力不問、この1冊からはじめよう!

972 都市のくらしと野生動物の未来
高槻成紀
野生動物の本当の姿や生き物同士のつながりを知る機会が減った今。正しく知ることの大切さを、ベテラン生態学者が語ります。

973
ボクの故郷は戦場になった
―樺太の戦争、そしてウクライナへ
重延 浩

1945年8月、ソ連軍が侵攻を開始し、のどかで美しい島は戦場と化した。少年が見た戦争とはどのようなものだったのか。

974
源氏物語入門
高木和子

日本の古典の代表か、色好みの男の恋愛遍歴か。『源氏物語』って、一体何が面白いの？ 千年生きる物語の魅力へようこそ。

975
「よく見る人」と「よく聴く人」
―共生のためのコミュニケーション手法
広瀬浩二郎
相良啓子

目が見えない研究者と耳が聞こえない研究者が、互いの違いを越えてわかり合うためコミュニケーションの可能性を考える。

976
平安のステキな！女性作家たち
川村裕子
早川圭子 絵

紫式部、清少納言、和泉式部、道綱母、孝標女。作品の執筆背景や作家同士の関係も解説。ハートを感じる！王朝文学入門書。

977
国連で働く
―世界を支える仕事
植木安弘 編著

平和構築や開発支援の活動に長く携わってきた10名が、自らの経験をたどりながら国連の仕事について語ります。

978
農はいのちをつなぐ
宇根 豊

生きものの「いのち」と私たちの「いのち」はつながっている。それを支える「農」とは何かを、いのちが集う田んぼで考える。

979 10代のうちに考えておきたいジェンダーの話　堀内かおる
10代が直面するジェンダーの問題を、未来に向けて具体例から考察。自分ゴトとして考えた先に、多様性を認め合う社会がある。

980 食べものから学ぶ現代社会 ―私たちを動かす資本主義のカラクリ　平賀　緑
食べものから、現代社会のグローバル化、巨大企業、金融化、技術革新を読み解く。『食べものから学ぶ世界史』第2弾。

981 原発事故、ひとりひとりの記憶 ―3・11から今に続くこと　吉田千亜
3・11以来、福島と東京を往復し、人々の声に耳を傾け、寄り添ってきた著者が、今に続く日々を生きる18人の道のりを伝える。

982 縄文時代を解き明かす ―考古学の新たな挑戦　阿部芳郎 編著
人類学、動物学、植物学など異なる分野と力を合わせ、考古学は進化している。第一線の研究者たちが縄文時代の扉を開く！

983 翻訳に挑戦！ 名作の英語にふれる　河島弘美
he や she を全部は訳さない？　この人物は「僕」か「おれ」か？　8つの名作文学で翻訳の最初の一歩を体験してみよう！

984 SDGsから考える世界の食料問題　小沼廣幸
アジアなどで長年、食料問題と向き合い、今も邁進する著者が、飢餓人口ゼロに向け、SDGsの視点から課題と解決策を提言。